KB098418

MBTI
Perfume

향기로 나를 치유하는 시간

OIL.NURI DOTERRA

MBTI Perfume

지은이 Oil.Nuri Doterra (이지온)
발 행 2024년 5월 14일
펴낸이 한건희
펴낸곳 주식회사 부크크
출판사등록 2014.07.15.(제2014-16호)
주 소 서울특별시 금천구 가산디지털1로 119 SK트윈타워 A동 305호
전 화 1670-8316
이메일 info@bookk.co.kr

ISBN 979-11-410-8451-6
www.bookk.co.kr
ⓒ MBTI Perfume 2024
본 책은 저작자의 지적 재산으로서 무단 전재와 복제를 금합니다.

" 향수는 감정을 표현하는 방법이며,
때로는 우리의 말보다 더 많은 것을 전달한다."

에스티 로더 (Estée Lauder)

목 차

4. MBTI 유형특성 & 향수 블렌딩

*직관적 사고형
INTJ, INTP, ENTJ, ENTP: 8, 14, 19, 25

*직관적 감정형
INFJ, INFP, ENFJ, ENFP: 31, 37, 43, 48

*감각적 사고형
ISTJ, ISFJ, ESTJ, ESFJ: 53, 59, 65, 71

*감각적 감정형
ISTP, ISFP, ESTP, ESFP: 77, 82, 87, 92

5. 맺음말: 97

1.서문

사랑하는 회원 여러분, 안녕하세요!

아로마테라피는 자연에서 얻은 에센셜 오일을 활용하여 우리의 몸과 마음에 긍정적인 영향을 미치는 치유의 예술입니다.
이 책에서는 MBTI 성격 유형별로 맞춤형 아로마 향수 레시피를 제공하며, 각자의 독특한 성격과 필요에 딱 맞는 향기를 발견하도록 도와드립니다. 우리 각자는 세상을 바라보고 반응하는 방식이 다르기에, 이 책은 그런 개성을 존중하고 각 성격의 장점을 부각시키며 단점을 완화할 수 있도록 도와줄 것입니다.

마이어스-브릭스 유형 지표(MBTI)는 우리가 어떻게 생각하고 느끼는지를 이해하는 데 큰 도움을 줍니다. 이 책은 각 성격 유형에 맞는 에센셜 오일을 선별해, 자신만의 향수를 만드는 즐거운 방법을 제안합니다.
예를 들어, 활동적인 사람들에게는 활력을 불어넣는 향기를, 조용하고 사색적인 사람들에게는 마음을 진정시키는 향기를 권합니다.

자신만의 향수를 만들어 보세요. 이 과정 자체가 자기 자신을 더 깊이 이해하고 애정을 가지는 소중한 시간이 될 것입니다.
또한, 이 아름다운 향기는 일상에 작은 기쁨을 더하고, 정서적으로도 큰 위안을 선사할 것입니다. 가족이나 친구들과 함께 만들어 본다면, 이는 서로를 더 깊이 이해하고 존중하는 뜻깊은 활동이 될 수 있습니다.
서로의 성격 유형에 맞는 향수를 선물하며 더욱 가까워질 기회를 가질 수 있습니다.

이 책이 여러분과 여러분의 사랑하는 사람들에게 긍정적인 변화를 가져다주길 바라며, 행복하고 향기로운 여정이 되시기를 기대합니다.
여러분의 삶에 향기를 더해줄 이 매력적인 아로마테라피 세계로 여러분을 초대합니다.

2024년 3월,
Oil.Nuri Doterra
이지온

2. 향수제작

에센셜 오일

먼저, 에센셜 오일이 무엇인지 이해하는 것이 중요합니다. 식물의 꽃, 잎, 줄기, 껍질에서 추출한 순수한 향기 오일로, 각기 다른 식물에서 얻은 오일은 독특한 향과 특성을 가지고 있습니다. 이 오일들은 단순히 좋은 향을 내는 것 이상의 효능을 가지고 있으며, 우리의 기분, 건강, 그리고 환경에 긍정적인 영향을 줍니다.

향수의 기본 요소

향수를 제작할 때는 세 가지 주요 향기 노트를 고려해야 합니다.

***톱노트 [지속 시간: 약 5~15분]**

향수를 처음 뿌렸을 때 느낄 수 있는 가벼운 향기로, 첫인상을 결정.

- 레몬(Lemon), 오렌지(Orange), 베르가못(Bergamot), 라임(Lime) 자몽(Grapefruit), 페퍼민트(Peppermint), 라벤더 (Lavender), 유칼립투스(Eucalyptus), 로즈마리(Rosemary), 바질(Basil) 등

***미들노트 [지속 시간: 약 1시간]**

톱노트가 사라진 후 중심이 되는 향기로, 향수의 핵심.

- 자스민 (Jasmine), 로즈 (Rose), 일랑일랑 (Ylang-Ylang)
  제라늄 (Geranium), 네롤리 (Neroli), 클라리 세이지 (Clary Sage)
  로만케모마일 (Roman Chamomile), 레몬그라스 (Lemongrass)
  멜리사 (Melissa), 시나몬 (Cinnamon) 등

***베이스노트 [지속 시간: 약 1시간 이상]**

가장 오래 지속되는 향기로, 향수에 깊이와 지속성을 부여.

- 베티버 (Vetiver), 시더우드 (Cedarwood), 샌달우드 (Sandalwood)
  프랑킨센스(Frankincense), 파촐리(Patchouli), 아버비테 (Arborvitae)
  미르 (Myrrh), 블랙 스프루스 (Black Spruce) 등

향수 제작 방법

향수 제작 과정은 간단하면서도 세심한 주의가 필요한 작업입니다. 시작하기 전, 사용할 에센셜 오일의 조합을 결정해야 합니다. 이때, 각 노트의 조화와 균형이 중요하며, 개인의 목적에 맞는 향을 선택하는 것이 핵심입니다. 선택한 오일을 베이스(보통 알코올 또는 오일 베이스)와 혼합하여, 각 노트가 서로 잘 어우러지도록 합니다. 자세한 방법은 아래 QR 코드 확인!

3. MBTI 에 대하여

MBTI 란?

MBTI란 Myers-Briggs Type Indicator의 약자로, 인간의 성격을 16가지 유형으로 분류하는 심리학적 도구입니다. 이 이론은 칼 융의 심리 유형론을 바탕으로 개발되었으며, 각 개인의 성향과 선호를 이해하는 데 도움을 줍니다. MBTI는 네 가지 기본 차원(외향/내향, 감각/직관, 사고/감정, 판단/인식)을 조합하여 개인의 성격 유형을 설명합니다.

- **자기 이해**: MBTI를 통해 독자들은 자신의 성격 유형을 명확히 이해할 수 있습니다. 이러한 이해는 자기 자신의 강점과 약점을 파악하고, 개인적 성장을 위한 기반을 마련하는 데 중요한 역할을 합니다.

- **대인 관계 개선**: 서로 다른 성격 유형에 대한 이해는 타인과의 관계를 강화하는 데 도움이 됩니다. MBTI를 활용하면 타인의 행동과 반응을 보다 잘 이해하고, 이에 따라 효과적인 의사소통과 상호 작용이 가능해집니다.

- **아로마테라피 적용**: 각 MBTI 성격 유형에 맞춤형 아로마테라피를 적용하면, 향기를 통해 심리적 안정과 정서적 균형을 찾는 데 큰 도움이 됩니다. 특정 에센셜 오일은 특정 성격 유형의 스트레스 해소, 집중력 향상 또는 기분 개선에 효과적일 수 있습니다.

MBTI는 자기 자신뿐만 아니라 다른 사람들과의 관계에서도 긍정적인 변화를 가져올 수 있는 심층적인 통찰력을 제공합니다. 이를 통해 독자들은 자신의 내면을 깊이 있게 이해하고, 사회적 상호작용을 강화하며, 아로마테라피를 통해 심리적, 정서적 웰빙을 향상할 수 있습니다.

나의 MBTI 찾기

핸드폰 카메라를 열고 첨부된 QR 코드를 스캔 해 보세요. MBTI 테스트를 직접 경험할 수 있습니다.
테스트는 약 30분 정도 소요되며, 여러분의 성향과 선호를 분석하여 어떤 MBTI 유형에 속하는지를 알려줄 것입니다.
자신의 MBTI 유형을 알고 나면, 이 책에서 제안하는 맞춤형 아로마테라피 블렌딩을 더 효과적으로 활용할 수 있습니다.
이제 QR 코드를 스캔하고, 자신만의 MBTI 여정을 시작하세요!

4. MBTI 유형특성 & 향수 블렌딩

직관적 사고형

INTJ, INTP, ENTJ, ENTP

직관적 감정형

INFJ, INFP, ENFJ, ENFP

감각적 사고형

ISTJ, ISFJ, ESTJ, ESFJ

감각적 감정형

ISTP, ISFP, ESTP, ESFP

1. INTJ 유형 특성

#전략적 사고 #독립성 #창의력 #결단력 #통찰력

- **전략적 사고**: INTJ는 모든 상황에 대해 철저한 분석과 계획을 세우며, 더 좋은 방법을 찾아내는 데 능숙합니다. 이들은 문제를 해결하는 과정에서 새로운 아이디어와 통찰력을 사용하여 효과적인 전략을 수립합니다.

- **독립성**: 이 유형은 독립적으로 작업하고 결정을 내리는 것을 선호합니다. 강한 자기 주도성과 타인의 감정에 치우치지 않는 결정 능력이 특징입니다. 이로 인해 때로는 타인에게 무심하다는 인상을 줄 수 있습니다.

- **창의력**: INTJ는 상상력이 풍부하고 문제 해결에 창의적인 접근을 즐깁니다. 이들은 전통적인 해결 방식에 안주하지 않고, 계속해서 혁신적인 아이디어를 추구합니다.

- **결단력**: 결정을 내릴 때 이들은 감정보다는 논리와 진실을 중시합니다. 이는 그들이 현실적이고 목표 지향적인 성격을 가지고 있음을 보여줍니다. 자신의 선택에 자신감을 가지고 확고하게 추진할 수 있습니다.

- **통찰력**: INTJ는 사물의 본질을 꿰뚫어보는 깊은 통찰력을 가지고 있습니다. 복잡한 문제를 분석하고 이해하는 데 있어서 누구보다 뛰어나며, 이는 그들이 정보를 바탕으로 효과적인 결정을 내리는 데 큰 도움이 됩니다.

전략적 계획: INTJ 유형의 사람은 사무실에서 새로운 프로젝트를 관리하며, 자신의 전략적 사고를 활용하여 팀을 이끕니다.
그들은 모든 가능성을 면밀히 분석하고 최적의 계획을 세우는데, 이는 복잡한 문제를 해결하는 데 있어서 팀원들에게 명확한 방향을 제시합니다.

독립적 의사결정: 일상에서의 독립성은 INTJ가 친구들과의 여행 계획을 주도하는 상황에서도 드러납니다. 그들은 다른 사람의 의견을 듣긴 하지만, 최종 결정은 항상 자신의 분석과 판단에 따릅니다.
이는 그들이 혼자서도 효과적으로 계획을 수립하고 실행할 수 있음을 보여줍니다.

창의적 문제 해결: 직장에서 발생하는 예상치 못한 문제에 직면했을 때, INTJ는 창의적인 해결책을 제시합니다.
기존의 접근 방식을 벗어나 새롭고 효과적인 방법을 찾아내는 능력이 탁월합니다.

결단력 있는 행동: 개인적인 삶에서도 INTJ는 결단력을 발휘합니다. 예를 들어, 주택 구입과 같은 큰 결정을 할 때, 그들은 감정에 휘둘리지 않고 광범위한 데이터와 장단점을 철저히 분석한 후 합리적인 결정을 내립니다.

심오한 통찰력: 사회적 상황에서 INTJ는 깊은 통찰력으로 인간 관계의 복잡성을 파악합니다.
그들은 타인의 행동이나 말 뒤에 숨겨진 의도를 간파하고, 이를 바탕으로 강력하고 의미 있는 관계를 구축하려 노력합니다.
이러한 능력은 그들이 사회적 상호작용에서도 전략적으로 행동하게 합니다.

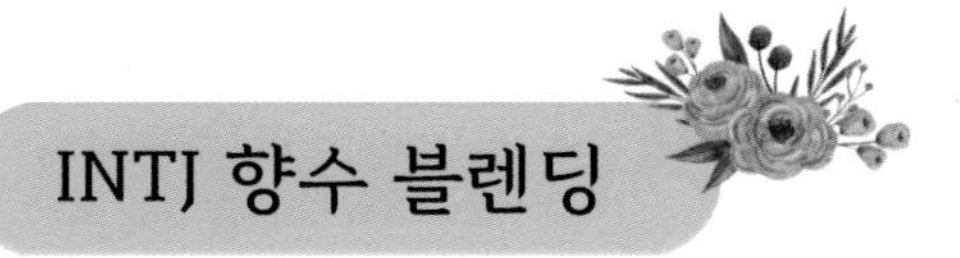

INTJ 향수 블렌딩

INTJ 유형의 사람들은 그들의 전략적이고 분석적인 성향을 반영하는 향수를 필요로 합니다. 그들의 독립적 사고를 지원하고, 복잡한 문제를 해결하는 능력을 강화하며, 깊이 있는 지식 탐구에 도움이 되는 향수 블렌딩을 제안합니다.

필요한 오일

- **아로마터치 (AromaTouch)** : 신선한 향으로 순환을 증진하고 긴장을 완화합니다. 이 오일은 집중력이 필요한 작업 중 정신적 명료함을 증진시켜주며, INTJ 유형이 합리적인 결정을 내리는 데 도움을 줍니다. 또한, 잦은 의사결정과 고립된 작업 환경에서 발생할 수 있는 정서적 스트레스를 완화하는 데 효과적입니다.

- **베티버 (Vetiver)** : 깊고 흙 냄새가 나는 향기로 진정 효과를 제공하며, INTJ 유형이 겪는 일상의 스트레스와 압박을 완화시켜 줍니다. 이 오일은 심리적 안정을 지원하고 깊은 사색과 장기적인 계획 수립에 유리한 환경을 조성합니다. 또한, 베티버는 끊임없는 목표 추구와 과도한 자기 비판으로 지친 마음에 휴식을 제공합니다.

- **패츌리 (Patchouli)** : 스모키하고 흙이 묻은 향이 특징이며, 이는 INTJ의 창의적 사고와 문제 해결 능력을 자극합니다. 패츌리는 집중력을 향상시키고, 정서적 균형을 유지하는 데 도움을 줄 뿐만 아니라, 사회적 상황이나 팀워크에서 필요한 감성적 응답을 촉진합니다.

- **미르 (Myrrh)** : 따뜻하고 스파이시한 향은 INTJ 유형에게 심리적 안정과 집중력 향상을 제공합니다. 이 오일은 거만함과 비판적 태도를 완화하고, 감정적인 통찰력과 타인에 대한 이해를 증진시킵니다. 미르는 또한 직업적이거나 개인적인 과제에 직면했을 때 발생할 수 있는 정신적 긴장감을 완화하는 데 도움을 줍니다.

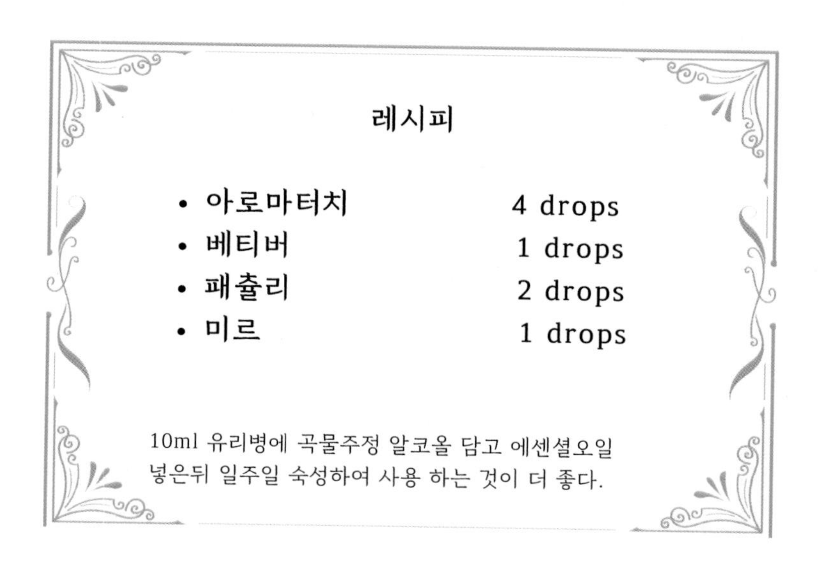

레시피

- **아로마터치** 4 drops
- **베티버** 1 drops
- **패츌리** 2 drops
- **미르** 1 drops

10ml 유리병에 곡물주정 알코올 담고 에센셜오일 넣은뒤 일주일 숙성하여 사용 하는 것이 더 좋다.

향수 사용 이점

- **의사결정 클라리티**: INTJ가 중요한 결정을 내려야 할 때, 아로마터치 오일의 청량한 향이 마음을 맑게 해주어 최적의 결정을 내리는 데 도움을 줍니다. 이 향수는 INTJ에게 상황을 명확하게 분석하고 합리적인 결정을 내리는 데 필요한 정신적 명료성을 제공합니다.

- **감정 조절 지원**: INTJ가 감정적으로 동요하기 쉬운 순간에 베티버의 깊고 진정 효과가 있는 향은 감정을 안정시키고 스트레스를 줄여줍니다. 이 향수는 INTJ가 감정의 균형을 유지하고 냉정을 되찾아 효율적으로 문제에 접근할 수 있도록 도와줍니다.

- **창의력과 혁신 촉진**: 복잡한 프로젝트나 창의적 아이디어가 필요할 때, 패츌리의 풍부하고 스모키한 향은 INTJ의 창의적 사고를 자극하여 혁신적인 아이디어를 찾는 데 필요한 영감을 제공합니다. 이는 INTJ가 그들의 전략적 사고를 활용하여 독창적인 솔루션을 개발할 수 있게 합니다.

- **사회적 상호작용 강화**: INTJ가 사회적 상황에서 자신감을 발휘하고 다른 사람과의 관계를 강화하고자 할 때, 미르의 따뜻하고 친밀한 향은 사교적인 환경에서 친근감을 느끼게 하고, 대인 관계의 긴장감을 완화시켜줍니다. 이 향수는 INTJ가 사회적으로 보다 활발하고 개방적으로 행동하도록 도와주어 관계 형성에 큰 도움을 줍니다.

2. INTP 유형 특성

#분석적 #논리적 #호기심 #독립적 #개념적

- **분석적 사고**: INTP는 고도로 분석적인 사고 방식을 가지고 있습니다. 문제 해결을 위해 논리와 이론을 동원하며, 실체보다는 이론적 모델을 선호합니다.

- **논리적 추론**: 이 유형은 논리와 원리를 중시하며, 비논리적이거나 모순된 아이디어에 대해 강한 거부감을 보입니다. 그들의 논리적 접근 방식은 지적 활동에서 두드러집니다.

- **지적 호기심**: INTP는 탐구적이고 호기심이 많은 유형으로, 새로운 아이디어와 지식에 대한 갈증이 끊이지 않습니다. 그들은 새로운 이론이나 개념을 학습하고 탐색하는 것을 즐깁니다.

- **독립적 성향**: 이들은 독립적인 성향이 강하며 자신의 생각과 행동에 자유로움을 중시합니다. 사회적 압력이나 기대에 무게를 두지 않으며, 자신만의 길을 추구합니다.

- **개념적 통찰력**: INTP는 추상적이고 개념적인 사고 능력이 뛰어나며, 복잡한 이론이나 체계를 이해하고 그 안에서 새로운 가능성을 발견하는 데 탁월하며 현실보다는 가능성에 더 많은 관심을 가집니다.

분석적 사고와 독립성: INTP는 일상에서도 분석적이고 논리적인 접근을 선호합니다. 예를 들어, 새로운 기술 제품을 구매할 때, 단순히 인기나 추천에 의존하기보다는, 제품의 기능, 성능 리뷰, 가격 대비 가치 등을 꼼꼼히 비교 분석하여 최적의 선택을 합니다.
이러한 과정에서 그들은 대부분의 사람들이 간과할 수 있는 세부적인 특성까지 고려하며, 자신의 결정에 확신을 가집니다.

지적 호기심과 개념적 사고: INTP의 일상은 지적 호기심을 채우기 위한 활동으로 가득 차 있습니다. 주말에는 새로 발표된 과학 논문을 읽거나, 복잡한 철학적 질문에 대한 자신만의 답을 모색하는 데 시간을 할애합니다.
이러한 활동은 그들이 관심 있는 분야에 대해 끊임없이 새로운 아이디어를 탐구하고 이해의 깊이를 더하는 데 도움을 줍니다.

독립적인 생활 방식: 사회적인 활동보다는 개인적인 시간을 중시하는 INTP는 친구들과의 사교 활동보다는 혼자서 책을 읽거나 연구하는 것을 선호합니다.
그들은 자신의 공간에서 독립적으로 생각하고, 학습하며, 자기만의 세계를 구축하는 것에서 큰 만족을 느낍니다. 이는 INTP가 자유롭게 사고하고 창조적인 아이디어를 발전시킬 수 있는 환경을 제공합니다.

INTP 향수 블렌딩

이 향수 블렌딩은 INTP의 지적 호기심을 자극하고, 사색을 증진하며, 사회적 상호작용과 감정 표현에 도움을 주는 향을 제공합니다. 특히, 이들이 자주 겪는 과도한 분석으로 인한 스트레스를 완화하고, 의사결정 과정에서 자신감을 높이는 데에 중점을 둔 조합입니다.

필요한 오일

- **살루벨 (Salubelle)**: 피부 재생을 돕고, 전체적인 신체적 및 정신적 조화를 촉진합니다. 풍부한 항산화 성분이 함유된 이 오일은 스트레스를 감소시키는 데 도움을 주어, 분석에 빠져 행동으로 옮기지 못하는 경향을 완화합니다.

- **베르가못 (Bergamot)**: 신선하고 상쾌한 향으로 기분을 개선하며, 흔히 겪는 사회적 상호작용의 부담을 줄여줍니다. 이 오일은 긍정적인 에너지를 부여하고 감정적 균형을 조성하여, 대인 관계에서의 어려움을 극복하는 데 유용합니다.

- **일랑일랑 (Ylang Ylang)**: 감정을 진정시키고 심리적 안정감을 제공합니다. 감정 표현에 어려움을 겪는 INTP에게 필요한 감정적 지원을 제공하며, 내면의 평화를 증진시키는 데 도움을 줍니다.

- **시더우드 (Cedarwood)**: 집중력을 높이고, 마음을 진정시키는 효과가 있습니다. 이 오일은 명상을 깊게 하고, 과도한 완벽주의나 현실과 이상의 괴리에 대한 부담을 줄여주는 데 효과적입니다.

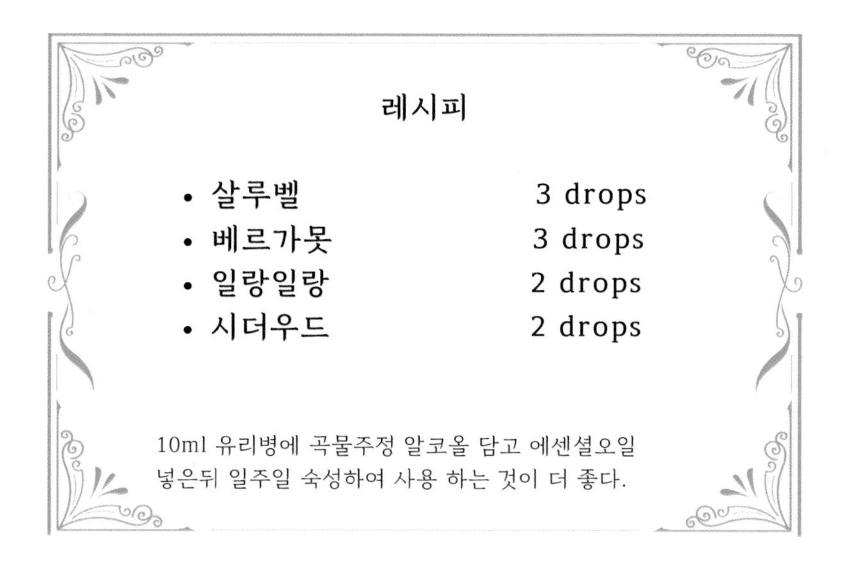

레시피

• 살루벨	3 drops
• 베르가못	3 drops
• 일랑일랑	2 drops
• 시더우드	2 drops

10ml 유리병에 곡물주정 알코올 담고 에센셜오일 넣은뒤 일주일 숙성하여 사용 하는 것이 더 좋다.

향수 사용 이점

- **자신감 스파크**: INTP가 새로운 사람들을 만나거나 중요한 프레젠테이션을 할 때, 베르가못 오일의 상쾌하고 에너지 넘치는 향이 자신감을 불어넣어 줍니다.
  이 자신감은 INTP에게 자신의 의견을 자유롭게 표현할 수 있는 용기를 제공하고, 자신의 아이디어를 확신하며 표현할 수 있게 도와줍니다.

- **집중력 향상**: 긴 연구 시간이나 복잡한 작업 중 집중력 유지가 어려울 때, 살루벨의 허브 향은 정신을 맑게 하고 집중력을 강화합니다. 이는 INTP가 복잡한 문제를 효과적으로 해결하고 창의적인 해결책을 모색하는 데 큰 도움을 줍니다.

- **감정 표현 지원**: INTP가 감정을 표현하는 데 어려움을 겪을 때, 시더우드의 따뜻한 향이 감정을 자연스럽게 표출하는 데 도움을 줄 수 있습니다. 이 오일은 내면의 감정을 이해하고 표현하는 능력을 키우는 데 유용하게 작용합니다.

- **사회적 교류 촉진**: INTP가 다양한 사회적 상황에서 더 활발하게 참여하길 원할 때, 베르가못과 일랑일랑의 조합은 사교적인 환경에서 긍정적이고 밝은 분위기를 조성합니다.
  이 향수는 사회적 상호작용을 즐길 수 있게 하며, 대인 관계에서의 어려움을 줄이는 데 기여합니다.

3. ENTJ 유형 특성

#리더십 #분석적 #결단력 #통솔력 #효율성

- **리더십**: ENTJ는 자연스러운 리더십을 발휘하여 팀을 효과적으로 이끌고, 목표 달성을 위한 전략을 세우는 데 뛰어납니다. 그들은 동료와 부하 직원에게 명확한 방향성과 동기를 제공하여 공통된 성과를 달성하도록 합니다.

- **분석적**: 이 유형은 사물을 깊이 있고 분석적으로 바라보며, 주변 환경에서 질서를 찾아내고 문제의 근본 원인을 식별하는 데 능숙합니다. 이를 통해 효과적인 해결책을 제시하며, 시스템의 효율을 극대화합니다.

- **결단력**: ENTJ는 목표를 향해 빠르고 결단력 있게 행동합니다. 어떠한 상황에서도 신속하게 의사결정을 내리며, 필요한 조치를 주저 없이 실행에 옮깁니다.

- **통솔력**: 강한 통솔력으로 유명한 ENTJ는 다른 사람들을 조직하고, 필요한 자원을 모으며, 팀이나 프로젝트를 성공적으로 이끌어갑니다. 이들은 다른 이들이 자신의 지시를 따르도록 만드는 자연스러운 능력을 가지고 있습니다.

- **효율성**: 이 유형은 업무에서의 효율성을 중요시하며, 불필요한 절차나 비효율적인 작업 방식을 개선하려는 경향이 있습니다. 그들은 최소한의 자원으로 최대한의 결과를 내기 위해 노력합니다.

ENTJ는 직장에서 일하는 과정에서 비효율적인 시스템을 발견하면 즉시 개선 방안을 모색합니다.
예를 들어, 불필요한 회의가 많다고 판단되면, 이를 줄이고 직원들의 업무 효율을 높이는 방안을 제안합니다. 이렇게 효율성을 극대화하려는 그들의 노력은 업무 프로세스를 개선하고, 전체 팀의 생산성을 향상시킵니다.

또한 복잡한 프로젝트를 관리할 때, ENTJ는 문제의 핵심을 빠르게 파악하고 구조적으로 접근합니다. 그들은 데이터를 철저히 분석하고, 각 문제에 대한 해결책을 전략적으로 개발하여 프로젝트의 성공을 도모합니다. 이 과정에서 그들의 분석적 능력은 팀 전체에게 명확한 지침을 제공합니다.

ENTJ는 자연스러운 리더십으로 팀을 이끕니다. 새로운 마케팅 캠페인을 계획할 때, 그들은 뛰어난 리더십으로 팀원들의 역량을 최대한 발휘하게 하며, 공동의 목표 달성을 위해 모두를 하나로 뭉치게 만듭니다. 그들의 지휘하에 팀은 각자의 장점을 살려 업무를 수행하게 됩니다.

일상에서도 ENTJ는 빠른 결정과 행동으로 문제를 해결합니다. 예를 들어, 가정에서 긴급한 상황이 발생했을 때, 그들은 주저하지 않고 즉각적인 해결책을 제시하고 실행에 옮깁니다.
이러한 결단력은 위기 상황에서 효과적인 대응을 가능하게 만듭니다.

ENTJ 향수 블렌딩

ENTJ 유형은 자신의 목표와 효율성에 초점을 맞추는 경향이 있어 감정적인 측면에서 부족할 수 있습니다. 이러한 약점을 보완하기 위해, 이 향수 레시피를 제안합니다. 마음을 진정시키고 긍정적인 감정을 조성하는데 도움을 줄 수 있어, ENTJ가 감정적인 배려를 실천 할 수 있도록 돕습니다.

필요한 오일

- **멜리사** (Melissa): 또는 레몬밤은 강력한 항바이러스 특성을 가지고 있으며 정신을 맑게 하고 긍정적인 감정을 증진시키는 데 유용합니다. 멜리사는 높은 에너지 수준을 유지하고자 하는 ENTJ에게 탁월한 선택입니다.

- **라벤더** (Lavender): 이완 효과는 잘 알려져 있습니다. 라벤더는 스트레스를 줄이고, 수면의 질을 향상시키며, 감정적 균형을 잡는 데 탁월합니다. ENTJ들이 자주 마주치는 강한 스트레스 상황에서 편안함을 제공합니다.

- **로만 카모마일** (Roman-Chamomile): 진정 효과로 유명하며, 이는 긴장된 신경을 완화하고 잠을 유도하는 데 매우 유용합니다. 이는 감정적으로나 신체적으로 긴장이 높을 때 ENTJ의 마음의 평화를 증진시킬 수 있습니다.

- **프랑킨센스** (Frankincense): 프랑킨센스는 그 역사적인 가치와 치유 효능으로 잘 알려진 오일입니다. 이 오일은 명상과 영적인 실천을 증진시키는 데 도움을 주며, 깊은 호흡을 통해 정신적, 신체적 집중력을 향상시킵니다. ENTJ가 직면할 수 있는 도전적인 리더십 상황에서 중심을 잡는 데 기여합니다.

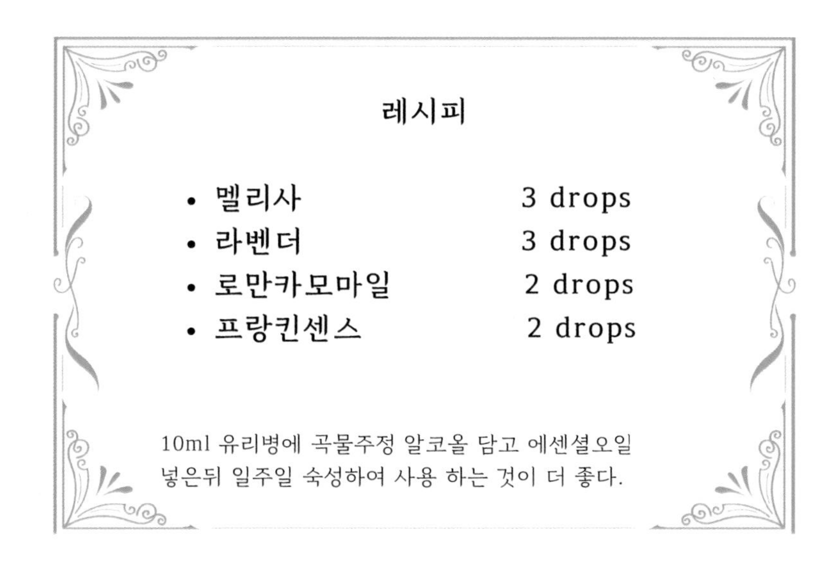

레시피
• 멜리사 3 drops
• 라벤더 3 drops
• 로만카모마일 2 drops
• 프랑킨센스 2 drops
10ml 유리병에 곡물주정 알코올 담고 에센셜오일
넣은뒤 일주일 숙성하여 사용 하는 것이 더 좋다.

향수 사용 이점

- **목표 지향성과 강도 조절**: ENTJ들은 자신의 목표를 달성하기 위해 종종 너무 단호하고 무자비할 수 있습니다.
  이 향수는 멜리사와 라벤더의 이완 효과로 인해, 강한 추진력을 부드럽게 조절하고 상황에 맞게 감정을 적절히 표현할 수 있는 여유를 제공합니다.

- **의사소통의 감성적 측면 강화**: ENTJ는 효율성을 중시하며 감정적인 요소를 종종 무시할 수 있습니다.
  로만카모마일과 프랑킨센스의 조화는 더 깊은 명상과 자기 반성을 촉진하여, 감정을 공유하고 이해하는 능력을 향상시킵니다.
  이로써 ENTJ가 다른 사람들과의 의사소통에서 더 공감적이고 조화로운 관계를 구축하는 데 도움을 줍니다.

- **신속한 판단과 인내심 발휘**: ENTJ는 빠른 판단을 선호하지만, 이로 인해 상대방이 충분히 생각할 시간을 주지 않는 경우가 많습니다.
  이 향수는 마음의 평화를 증진시키고, 세심한 관찰과 경청을 통해 상황을 더욱 명확히 이해하고 조금 더 인내심을 가질 수 있도록 도와줍니다.

4. ENTP 유형 특성

#혁신가 #논리적 #즉흥적 #독립적 #열정적

- **혁신적 사고**: ENTP는 기존의 규칙과 구조에 도전하는 강한 혁신가입니다. 그들은 자신만의 방식으로 문제를 해결하고, 새로운 아이디어를 찾아내는 데 능숙합니다. 이러한 특성은 그들이 비즈니스나 기술 분야에서 창의적인 해결책을 제시할 때 두드러집니다.

- **논리적 추론**: 뛰어난 논리적 사고 능력을 지닌 ENTP는 복잡한 정보를 분석하고 이를 바탕으로 유능한 전략을 세우는 데 능력을 발휘합니다. 그들의 이성적 접근 방식은 학문적 연구나 전문 분야에서 큰 강점으로 작용합니다.

- **즉흥적 행동**: ENTP는 계획보다는 즉흥적인 행동을 선호하며, 이로 인해 종종 다양한 경험을 즐기게 됩니다. 그들의 융통성은 새로운 환경에 빠르게 적응하고, 예상치 못한 상황에서도 기민하게 대처할 수 있게 해 줍니다.

- **독립성 강조**: 자유롭고 독립적인 생각을 중요시하는 ENTP는 자신의 신념과 가치를 따라 행동합니다. 그들은 종종 전통적인 가치나 기대를 거스르며 자신만의 길을 개척합니다.

- **열정적 태도:** ENTP는 자신이 중요하다고 생각하는 일에 대해 열정적입니다. 그들은 이상과 목표를 향해 매진하며, 자신의 관심사를 타인과 공유하는 데 적극적입니다. 이러한 특성은 그들을 동료와 친구들에게 영감을 주는 존재로 만들어 줍니다.

ENTP는 일상에서도 새로운 아이디어와 방식을 추구합니다. 예를 들어, 기존의 업무 프로세스에 만족하지 않고 자동화 도구를 개발하여 업무 효율을 극대화하는 프로젝트를 주도할 수 있습니다.
그들의 혁신적 사고는 문제 해결에서 독창적인 접근을 가능하게 하며, 이는 종종 그들을 리더십 포지션으로 이끕니다.

또한 친구들과의 토론에서 복잡한 주제를 분석하고 논리적으로 설명하는 데 능숙합니다.
예컨대 정치적 논의나 철학적 문제에 대해 깊이 있는 통찰을 제공하며, 이를 통해 주변 사람들에게 존경받고 영향력을 미칩니다.

휴가 계획을 세우는 대신, ENTP는 갑작스런 여행을 즐기고 미지의 장소를 탐험하는 것을 선호합니다.
이러한 즉흥적 행동은 그들의 생활을 풍부하고 다채롭게 만들며, 새로운 경험과 지식을 수집하는 기회를 제공합니다.

ENTP는 사회적 압력이나 기대를 따르기보다는 자신만의 독립적인 길을 추구합니다.
직장에서 상사의 전통적인 방식에 반대 의견을 제시하며, 자신의 전문성과 신념을 바탕으로 새로운 아이디어를 적극적으로 표현합니다.

또한 자신의 열정을 따라 취미 활동에도 매진합니다. 예를 들어, 기술에 대한 열정을 살려 코딩 모임을 주도하거나, 자동차에 대한 관심으로 모터스포츠 이벤트에 참여합니다.
그들은 자신의 관심사를 타인과 공유하며 사회적 연결을 강화합니다.

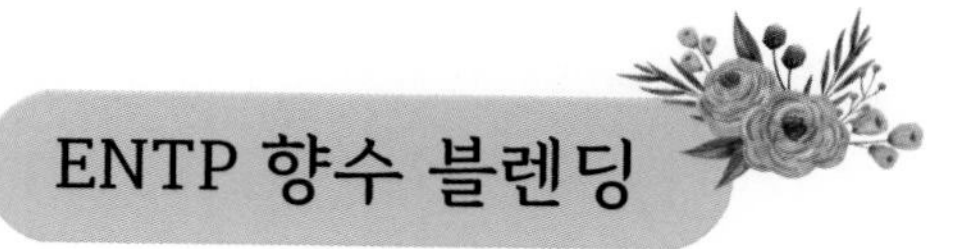

ENTP 향수 블렌딩

ENTP 유형의 사람들은 창의적이고 열정적이며, 자유로운 사고를 추구하는 경향이 있습니다. 이들의 정신적 활력과 통찰력을 촉진하며 다양한 아이디어와 프로젝트에 몰두할 수 있는 환경을 조성하는데 도움이 되는 향수 블렌딩을 제안합니다.

필요한 오일

- **인툰** (InTune): 이 오일은 집중력을 증진시키고, 생각의 흐름을 안정화시키는 데 도움을 줍니다. ENTP의 다양한 아이디어를 효과적으로 구성하고 실행하는 데 필요한 정신적 초점을 제공합니다.

- **페퍼민트** (Peppermint): 정신을 상쾌하게 하고, 정신적 피로와 스트레스를 줄이는 데 효과적이어서, 긴 논쟁이나 창의적인 작업을 할 때 피로를 느끼지 않도록 돕습니다.

- **레몬** (Lemon): 정신을 맑게 하고 기분을 개선하는 효과가 있습니다. 이는 ENTP가 긍정적이고 생산적인 상태로 일상을 이어갈 수 있도록 지원합니다.

- **유칼립투스 (Eucalyptus)**: 호흡을 촉진하고 정신을 맑게 합니다. 이는 ENTP가 생각을 명확히 하고 더욱 집중력 있게 일할 수 있도록 도와줍니다. ENTP가 스트레스를 받거나 압박을 느낄 때 마음의 안정을 찾고 더욱 집중할 수 있게 돕습니다.

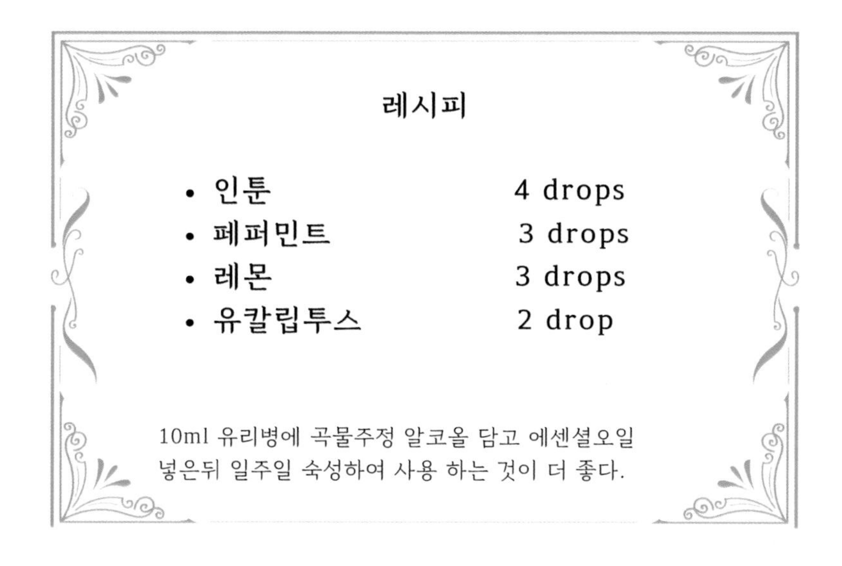

레시피
• 인툰 4 drops
• 페퍼민트 3 drops
• 레몬 3 drops
• 유칼립투스 2 drop
10ml 유리병에 곡물주정 알코올 담고 에센셜오일
넣은뒤 일주일 숙성하여 사용 하는 것이 더 좋다.

향수 사용 이점

- **창의적 해결책 지원**: ENTP는 혁신적이고 독립적인 사고로 문제를 해결하는데 능숙합니다. 그러나 새로운 아이디어의 연속적인 추구는 때로 방향성을 잃게 할 수 있습니다. 인툰 오일은 집중력을 증진시켜 일관된 목표 달성을 돕습니다.

- **논리적 분석력 강화**: 복잡한 정보 분석과 전략적 계획은 ENTP의 일상적인 도전입니다. 페퍼민트 오일은 정신적 명료함을 제공하여 논리적 사고를 강화시켜 줍니다.

- **즉흥적 대응 지원**: 자주 변경되는 상황에서의 즉흥적 대응은 ENTP에게 필수적입니다.
  레몬과 유칼립투스 오일은 마음의 경계를 확장하고 융통성을 부여하여, 예기치 않은 상황에서도 효과적으로 대처할 수 있도록 지원합니다.

- **독립성 강화와 에너지 제공**: ENTP는 자유롭고 독립적인 활동을 선호합니다. 이 향수는 열정을 불어넣고 자신감을 고취시켜, 자신의 길을 개척하며 진정한 자아를 표현하는 데 도움을 줍니다.

- **극복 할 수 있는 마음 강화**: 일상에서 직면하는 도전들을 효과적으로 극복하고 자신의 잠재력을 최대한 발휘할 수 있도록 도와줍니다.

5. INFJ 유형 특성

#영감적지도자 #인내심 #창의성 #직관력 #신념

- **영감적 리더십**: INFJ는 탁월한 통찰력과 직관으로 자연스러운 리더 역할을 합니다. 그들은 타인에게 깊은 영향을 끼칠 수 있으며, 이는 그들의 은밀하지만 강력한 카리스마로 인해 자연스럽게 사람들을 이끌어 갑니다.

- **인내의 가치**: 이 유형은 높은 인내심을 가지고 있으며, 어려운 상황에서도 침착하게 대처합니다. 그들은 장기적인 목표를 위해 꾸준히 노력하며, 이는 종종 그들이 큰 성과를 이루게 하는 원동력이 됩니다.

- **창의적 접근**: INFJ는 창의적이고 예술적인 능력이 뛰어나, 다양한 예술적 표현 방식에서 자신의 감정과 생각을 표현합니다. 그들은 특히 글쓰기, 음악, 미술 등에서 자신만의 독특한 스타일을 개발하는 데 뛰어납니다.

- **심오한 직관력**: 강한 내적 직관은 INFJ가 다른 사람의 본질을 깊이 있게 이해하고 미래의 가능성을 예측하는 데 도움을 줍니다. 이는 복잡한 인간 관계에서 그들이 타인을 효과적으로 도울 수 있게 하는 주요 요소입니다.

- **신념의 힘**: INFJ는 자신의 신념과 가치에 매우 충실합니다. 그들은 종종 자신이 믿는 이상을 실현하기 위해 노력하며, 이는 때로는 사회적 변화를 추구하는 원동력이 됩니다. 이들은 자신의 신념을 통해 변화를 추구하며, 종종 그 과정에서 대의명분을 쫓습니다.

INFJ 유형은 사회봉사 단체에서 자연스러운 리더 역할을 맡습니다. 그들의 강력한 통찰력으로 팀을 이끌며, 종종 사회적 이슈에 대한 의식을 높이는 캠페인을 주도합니다.
이러한 활동을 통해 INFJ는 커뮤니티에 긍정적 변화를 가져오며, 이는 그들의 영감적 리더십이 실제로 얼마나 영향력 있는지 보여줍니다.

업무 환경에서 INFJ는 복잡한 프로젝트를 관리하며, 그 과정에서 자신의 높은 인내심을 발휘합니다.
예를 들어, 기한이 긴 프로젝트에서 세부 사항을 놓치지 않고 꼼꼼하게 처리하며, 이는 종종 성공적인 결과로 이어집니다. 이들의 인내심은 프로젝트의 성패를 좌우하는 중요한 요소가 됩니다.

개인적인 취미에서 INFJ는 그림이나 글쓰기와 같은 창의적인 활동을 즐깁니다. 이런 활동을 통해 자신의 복잡한 감정을 표현하고, 스트레스를 해소합니다.
예술 작품을 통해 자신의 내면을 탐구하며, 이러한 창의적 표현은 그들의 정서적 건강에 중요합니다.

친구가 직면한 문제를 빠르게 간파하고 해결책을 제시하는 것은 INFJ의 일상적인 예입니다.
그들의 직관은 타인의 감정과 상황을 깊이 있게 이해하는 데 큰 도움이 되며, 이를 통해 친구와의 관계에서 신뢰를 구축하고 강화합니다.

자신의 신념에 따라 지역사회 발전을 위한 프로젝트를 시작하는 경우, INFJ는 자신의 가치를 반영하여 환경 보호 운동이나 사회 정의 프로젝트를 주도할 수 있습니다.
그들은 이러한 활동을 통해 자신의 이상을 현실로 전환시키며, 이는 종종 큰 사회적 영향을 끼칩니다.

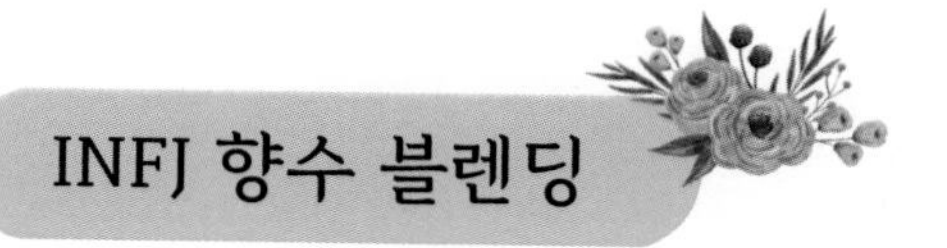

INFJ 유형의 사람들은 그들의 깊이 있는 통찰력과 이상주의적 성향을 반영하는 향수를 필요로 합니다. 이들의 독립적이고 창의적인 사고를 지원하며, 깊은 내면의 평화를 찾고 감정의 균형을 유지하는 데 도움이 되는 향수 블렌딩을 제안합니다.

필요한 오일

- **베르가못 (Bergamot)**: 이 시트러스 오일은 스트레스를 줄이고 기분을 개선하는 데 탁월합니다. 베르가못은 감정을 안정시키고, 마음의 상처를 치유하는 데 도움을 줄 수 있어, INFJ가 자주 경험할 수 있는 감정적 긴장을 완화시킵니다.

- **밸런스 (Balance)**: 이 블렌드는 지상감을 제공하고, 명상을 깊게 해주며, 감정적 안정을 촉진합니다. 깊은 명상을 돕고 일상의 스트레스에서 벗어나 내면의 목소리에 집중할 수 있게 돕습니다.

- **프랑킨센스 (Frankincense)**: 이 고대의 오일은 심리적, 정서적 균형을 잡는데 탁월하며, 심오한 명상 경험을 제공합니다. 심신의 통합을 촉진하고, 심리적 부담을 덜어줍니다.

- **로즈마리 (Rosemary)**: 기억력 향상과 정신적 명료함을 돕는 이 오일은 INFJ가 종종 겪는 정보 과부하에서 오는 스트레스를 경감시키는 데 유용합니다. 로즈마리는 또한 정신적 피로를 줄이고, 집중력을 높여 줍니다.

레시피
베르가못 3 drops
밸런스 3 drops
프랑킨센스 2 drops
로즈마리 2 drop
10ml 유리병에 곡물주정 알코올 담고 에센셜오일
넣은뒤 일주일 숙성하여 사용 하는 것이 더 좋다.

향수 사용 이점

- **스트레스 극복**: 베르가못과 로즈마리의 조화는 직장에서의 스트레스와 압박감을 완화하는 데 도움을 줍니다. 이 오일들은 두뇌 활동을 촉진하여 업무 중 요구되는 높은 수준의 집중력과 창의력을 제공합니다. 특히 대인 관계에서의 긴장감이나 팀워크 문제를 해결하는 데에도 긍정적인 영향을 미칩니다.

- **감정적 균형 찾기**: 일과 중에 감정적으로 균형을 잃기 쉬운 순간, 프랑킨센스와 Balance 블렌드가 감정의 균형을 잡고 긴장을 풀어 주어 마음의 평화를 되찾는 데 기여합니다.
  이는 특히 중요한 회의나 프레젠테이션 전에 긴장을 완화시키고, 자신감을 높이는 데 유용합니다.

- **개인적 도전과 자기 발전**: INFJ는 자신의 내면세계와 심오한 사고를 중시합니다. 프랑킨센스와 Balance 블렌드는 명상과 자기 반성 시간을 더욱 풍부하고 깊게 만들어 주어, 자기 자신과의 대화를 통해 개인적 성장을 촉진합니다.
  이것은 새로운 통찰력을 얻거나, 삶의 방향을 재조정하는 데 중요한 역할을 합니다.

- **사회적 상호작용 향상**: 베르가못과 로즈마리는 사회적 상호작용 중 발생할 수 있는 불안을 줄이고, 자연스러운 대화를 유도합니다.
  이는 친구들과의 모임, 가족 행사, 심지어는 새로운 사람들과의 만남에서도 자신감을 부여하고, 자신의 의견을 표현하는 데 도움을 줍니다.

6. INFP 유형 특성

#이상주의자 #창의적낭만주의 #예술적표현

- **꿈꾸는 이상주의자**: INFP는 깊은 내적 신념과 이상을 추구하며, 자신만의 세계에서 완벽한 조화와 아름다움을 찾습니다. 이들은 종종 현실과 이상 사이에서 갈등을 경험하지만, 그 꿈을 통해 큰 영감을 받습니다.

- **창의적 낭만주의**: 낭만적이고 감성적인 INFP는 사랑과 관계에서 깊은 감정적 연결을 추구합니다. 예술적이고 창의적인 활동에서 큰 만족을 느끼며, 이를 통해 자신의 감정을 표현하는 것을 즐깁니다.

- **감정의 깊이**: 감정이 풍부하고 민감한 INFP는 타인의 감정에 깊이 공감하며, 이로 인해 때로는 감정적으로 쉽게 상처받을 수 있습니다. 그들은 감정을 중시하며, 사랑과 우정에서 진실된 관계를 매우 중요하게 여깁니다.

- **예술적 표현**: 음악, 문학, 미술 등 다양한 예술적 매체를 통해 자신의 내면을 탐구하고 표현합니다. 이들은 자신의 감정과 생각을 예술 작품에 반영하여 타인과 소통하는 방법을 선호합니다.

- **사회적 응집력**: 사회적 응집력을 중시하며, 자신과 타인이 서로를 이해하고 지지하는 환경을 만드는 데 힘쓰고 있습니다. 그들은 평화롭고 조화로운 공동체를 만드는 데 기여하며, 이상적인 세계를 실현하기 위해 노력합니다.

INFP는 매우 이상주의적이며 깊은 내면의 감성을 가지고 있습니다. 이들은 일상에서도 소설이나 영화 속 장면처럼 깊고 의미 있는 순간들을 찾아내며, 자신만의 가치와 믿음에 따라 삶을 설계합니다.

예를 들어, INFP는 자연 보호에 대한 강한 신념을 바탕으로 환경 보호 활동에 적극적으로 참여하며, 이러한 활동을 통해 자신의 이상을 현실화합니다.

INFP는 타고난 예술가로, 감정과 사상을 예술적으로 표현하는 데 뛰어난 재능을 지니고 있습니다. 그들은 글쓰기, 그림 그리기, 음악 작곡 등 다양한 예술 형태로 자신의 감정을 표현하며, 이를 통해 내면의 복잡한 감정을 다루고 타인과 깊이 있는 소통을 합니다.

예술 작품에서는 종종 그들의 이상적인 세계관이 반영되며, 이는 관람자에게도 깊은 울림을 제공합니다.

또한 사회적 연대감을 중요하게 여기며, 이를 통해 세상을 더 나은 곳으로 만드는 데 기여하고자 합니다.

그들은 소규모 그룹이나 친밀한 관계에서 더욱 빛을 발하며, 타인의 감정과 필요에 깊이 공감하고 이에 응답합니다. 예를 들어, 친구가 어려움을 겪고 있을 때, INFP는 그들의 감정을 섬세하게 이해하고 위로를 제공함으로써 실질적인 도움을 줄 수 있습니다.

이처럼 INFP는 그들의 이상주의, 창의력, 그리고 사회적 연대감을 통해 자신과 주변 사람들의 삶에 깊은 영향을 미치며, 각자의 방식으로 세상과 긴밀하게 연결되어 있습니다.

이들은 자신의 내면을 탐구하고, 세상에 긍정적인 변화를 가져오려는 노력을 통해 자신의 정체성을 더욱 확고히 합니다.

INFP 향수 블렌딩

INFP 유형은 자주 내면의 세계에 빠져 현실적인 문제에 대처하는 데 어려움을 겪을 수 있습니다. 또한, 감정의 기복이 심하고 타인의 감정에 과도하게 반응하는 경향이 있어 정신적, 감정적 안정이 필요합니다. 이를 위한 특별하고 효과적인 아로마테라피 블렌딩을 제안합니다.

필요한 오일

- **콘솔(Consōle)** : 이 블렌드는 심리적 위안을 줄 뿐만 아니라 마음의 평화를 되찾는데 도움을 줄 수 있어, 감정적 타격을 경험한 후 회복 과정을 지원합니다.

- **라벤더 (Lavender)**: 깊은 이완을 유도하며, 스트레스와 불안을 효과적으로 감소 시킵니다. 라벤더의 부드러운 향은 마음을 진정시키고, 일상의 긴장감에서 벗어나 동시에 감정적 균형을 잡는데 도움을 줍니다.

- **샌달우드 (Sandalwood)**: 명상적인 특성으로 인해 깊은 집중력과 정신적 명료함을 촉진합니다. 마음을 집중시키고 내적인 소리에 귀 기울여 스스로를 탐구할 수 있는 환경을 조성하는 데 유리합니다.

- **일랑일랑 (Ylang Ylang)**: 그 유혹적인 향기로 감정의 불안정성을 조절하고 긍정적인 기분을 유도합니다. 감정적 균형을 잘 맞추고, 행복감을 촉진하여 일상에서의 작은 스트레스에도 견딜 수 있는 내성을 강화시킵니다.

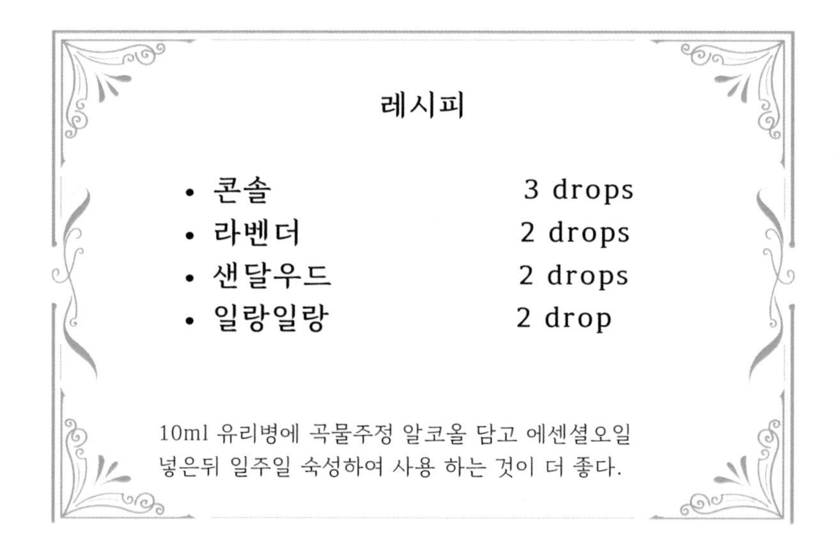

레시피
• 콘솔 3 drops
• 라벤더 2 drops
• 샌달우드 2 drops
• 일랑일랑 2 drop
10ml 유리병에 곡물주정 알코올 담고 에센셜오일
넣은뒤 일주일 숙성하여 사용 하는 것이 더 좋다.

향수 사용 이점

- **일상의 스트레스 완화와 감정 조절**: INFP들은 업무와 학업의 압박, 사회적 기대 등에 의해 스트레스를 받습니다. 이런 경우, 콘솔 감정적 안정을 찾는 데 도움을 줍니다. 블렌딩 된 라벤더는 마음을 진정시키고 스트레스를 줄이는 효과가 있어, 긴장된 마음을 풀어주고 평화로운 상태를 유지하는 데 기여합니다.

- **창의적 막힘 해소와 영감 촉진**: INFP는 창의적이고 예술적인 활동에서 큰 만족을 느낍니다. 창의적인 생각이 안나거나 영감의 부족은 이들에게 큰 어려움을 초래할 수 있습니다.

이러한 문제에 대응하기 위해, 샌달우드의 명상적 특성은 마음을 집중시키고 창의적인 사고를 촉진합니다. 이는 새로운 아이디어를 발견하고 창의적 프로젝트에 몰입하는 데 도움을 줄 수 있습니다.

- **감정 기복 관리**: INFP는 감정의 기복이 심할 수 있는데, 이는 일상생활에 영향을 미칠 수 있습니다. 일랑일랑은 감정의 균형을 맞추고 긍정적인 기분을 촉진하여 감정적 안정을 지원합니다.

특히 감정적으로 도전적인 상황에서 긍정적인 감정을 유지하는 데 도움을 줄 수 있습니다.

- **자기 반성과 내면의 평화 증진**: INFP는 자기 성찰과 내면의 평화를 중시합니다. 바쁜 일상 속에서 자신과의 대화를 갖고 싶어하는 INFP에게 이 블렌딩은 깊은 명상과 자기 성찰을 할 수 있도록 돕습니다.

7. ENFJ 유형 특성

#영감을주는리더 #창의적계획가 #감정적공감자

- **영감을 주는 리더십**: ENFJ는 자연스러운 리더십을 발휘하여 집단을 이끌어 갑니다. 그들은 능수능란하게 계획을 세우고 실행하여, 팀원들로 하여금 공통된 목표를 향해 나아가도록 동기를 부여합니다.

- **이타적인 관계 구축**: 깊은 동정심과 인류애로 다른 사람들과의 관계에서 매우 이타적입니다. 그들은 타인의 감정에 귀를 기울이고, 그들의 필요를 자신의 것처럼 여깁니다.

- **창의적인 계획과 실행**: 미래의 가능성을 보고 창의적인 해결책을 모색하는 ENFJ는 혁신적이고 효과적인 계획을 제시합니다. 그들은 어떠한 상황에서도 유연하게 대처하며, 효과적인 결과를 도출해 냅니다.

- **감정적인 공감과 지원**: 타인의 감정에 민감하게 반응하며, 감정적인 지지를 아끼지 않습니다. 그들은 감정의 기복이 심한 사람들에게 안정감을 제공하고, 개인적인 성장을 돕습니다.

- **사회적 조화와 통합 추구**: 사회적 상호작용에서 조화와 통합을 중요시하며, 갈등을 피하고 모두가 행복할 수 있는 환경을 만들기 위해 노력합니다. 그들은 집단 내에서 긍정적인 분위기를 조성하며, 모든 구성원이 소속감을 느낄 수 있도록 합니다.

ENFJ는 자연스럽게 다른 사람을 이끌고 영감을 주는 능력이 뛰어납니다. 예를 들어, 프로젝트 팀 리더로서 ENFJ는 명확한 비전을 제시하고, 팀원 각자가 그 목표에 어떻게 기여할 수 있는지를 명확히 해 줍니다. 이런 방식으로 그들은 팀 전체를 동기부여하고, 구성원들이 함께 성공을 향해 나아가도록 이끕니다.

또한, 타인의 감정과 욕구에 깊이 공감하고, 이를 지원하는 데 적극적입니다. 친구나 동료가 개인적인 문제로 힘들어할 때, ENFJ는 그들의 감정을 이해하고, 적절한 조언과 격려를 통해 그들을 안심시키고 문제 해결을 돕습니다.

창의적인 해결책을 제시하는 데도 능숙합니다. 새로운 문제에 직면했을 때, 표준적인 접근법을 넘어서서 창의적이고 혁신적인 방법을 고안해 낼 수 있습니다. 이는 종종 팀이나 조직이 예상치 못한 문제를 극복하는 데 결정적인 역할을 합니다.

이러한 특성을 통해 주변 사람들과 긴밀하고 의미 있는 관계를 유지하며, 그들의 삶에 긍정적인 영향을 끼칩니다. 이는 그들이 속한 커뮤니티나 조직에서 성장과 발전을 촉진하는 중요한 기반이 됩니다.

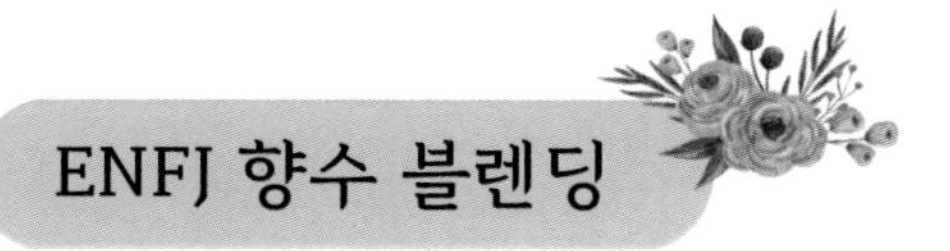

ENFJ 향수 블렌딩

ENFJ는 다른 사람의 감정에 깊이 공감하고, 때로는 타인의 문제를 자신의 것처럼 느끼기 때문에 정신적, 감정적으로 지칠 수 있습니다. 이 향기 블렌딩은 ENFJ가 일상에서 마주하는 정신적 스트레스와 감정적 부담을 완화하고, 내면의 평화와 안정을 회복하는 데 도움을 줄 것입니다.

필요한 오일

- **어댑티브** (Adaptiv): 이 블렌드는 스트레스 받는 상황에서 안정감과 평화를 느낄 수 있도록 설계되었습니다. 어댑티브는 정신적 긴장을 완화하고, 감정적으로 균형 잡힌 상태를 유지하는 데 도움을 줍니다.

- **블루 탄시** (Blue Tansy): 강력한 진정 효과로 알려져 있으며, 감정의 균형을 잡고 스트레스를 감소시키는 데 탁월합니다. 또한, 그 특유의 향기는 마음을 편안하게 하고 집중력을 높여줍니다.

- **네롤리** (Neroli): 스트레스와 불안을 감소시키며, 긍정적인 감정을 증진하는 데 유용합니다. 네롤리의 달콤하고 부드러운 향기는 기분을 고양시키고 마음을 진정시키는 데 도움을 줍니다.

- **바질 (Basil)**: 집중력을 증진하고 마음의 피로를 줄이는 데 도움을 주는 바질은 특히 정신적으로 요구가 많은 작업을 할 때 유용합니다. 이는 ENFJ가 더욱 효율적으로 일하고 스트레스를 관리하는 데 도움을 줍니다.

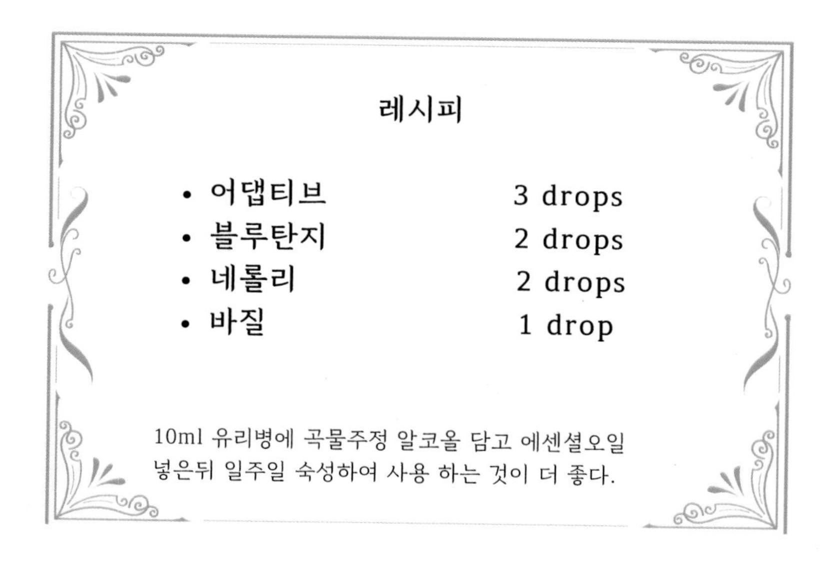

레시피
• 어댑티브 3 drops
• 블루탄지 2 drops
• 네롤리 2 drops
• 바질 1 drop
10ml 유리병에 곡물주정 알코올 담고 에센셜오일
넣은뒤 일주일 숙성하여 사용 하는 것이 더 좋다.

향수 사용 이점

- **정신적 명료함 제공**: 어댑티브 블렌드는 스트레스를 관리하고 감정을 안정시키는 데 도움을 주어, ENFJ가 복잡한 상황에서도 집중력을 유지할 수 있게 합니다. 이는 정신을 맑게 하고, 학습이나 업무 중에 최적의 성능을 발휘할 수 있도록 도와줍니다.

- **감정적 안정성 증진**: 블루 탄시의 진정 효과는 ENFJ가 감정적 긴장감이나 스트레스를 받을 때 마음을 차분하게 하고, 감정의 균형을 맞추는 데 큰 도움을 줍니다. 이 오일은 감정의 기복을 완화하고 일상의 행복감을 증진시키는 데 기여합니다.

- **조화로운 감정 지원**: 네롤리는 스트레스와 불안을 완화시키고 기분을 고양시키는 성질을 가지고 있어, ENFJ가 인간 관계에서 긍정적인 상호작용을 촉진할 수 있도록 돕습니다. 이는 감정적으로 풍부한 경험을 제공하며, 사회적 상호작용을 개선합니다.

- **집중력 강화**: 바질은 정신을 맑게 하고, 집중력을 높여주는 효과가 있어, ENFJ가 업무나 창의적 활동 중에 명료한 사고를 유지할 수 있도록 지원합니다. 이 오일은 정신적 피로를 해소하고 효율적인 업무 수행을 가능하게 합니다.

8. ENFP 유형 특성

#낙관주의 #창의적탐색 #감성의깊이 #자유로운영혼

- **사회적으로 활기찬 에너지:** 사람 중심적이며, 사회적 상호 작용에서 에너지를 얻습니다. 그들은 어디서든 쉽게 친구를 만들고, 타인과의 교류를 통해 자신의 정체성과 가치를 확인합니다.

- **낙관적 태도로 삶을 대함:** 활기차고 낙관적인 ENFP는 삶의 긍정적인 면을 보고, 어려움 속에서도 희망을 찾습니다. 그들은 주변 사람들에게 긍정적인 영향을 미치며, 행복한 분위기를 조성합니다.

- **창의적인 가능성 탐구:** 무미건조한 사실보다는 창의적인 가능성을 선호합니다. 그들은 표준적인 해답보다는 새롭고 혁신적인 아이디어에 끌립니다.

- **감성의 깊이와 자기 반성:** 깊은 감성적 교감을 추구하며, 종종 자신과 삶의 근본적인 의미에 대해 깊이 고민합니다. 그들은 자신의 감정을 섬세하게 다루며, 타인과의 진정성 있는 관계를 중시합니다.

- **자유로운 영혼과 독립적 추구:** 자유로운 영혼을 가지고 있으며, 자신의 길을 스스로 개척하는 것을 선호합니다. 그들은 일상의 제약을 벗어나 자신만의 방식으로 삶을 살아가려 합니다.

ENFP는 그들의 사회적 활력, 낙관주의, 창의적 탐색, 감성의 깊이, 그리고 자유로운 영혼을 통해 다채로운 삶을 경험하고 타인과 깊은 연결을 추구합니다.

그들은 자신이 경험한 모든 것을 통해 삶의 의미를 찾고, 주변 사람들에게 긍정적인 변화를 가져오려 노력합니다. 이러한 특성은 ENFP를 매력적이고 영감을 주는 존재로 만듭니다.

ENFP 향수 블렌딩

ENFP 유형은 자신의 활발한 상상력과 감정적 균형을 유지할 수 있도록 지원하는 독특하고 강력한 향기 블렌딩을 필요로 합니다. 이 특별한 블렌딩은 ENFP의 창의적 에너지를 최대로 끌어올리고, 동시에 마음의 평화를 유지하는 데 중점을 두었습니다.

필요한 오일

- **패션 (Passion)**: 이 블렌딩 오일은 인생에 대한 열정을 일깨우며, 일상에서의 모험과 창의적인 활동을 자극합니다. ENFP의 창의적인 사고와 열정을 불러일으키는 데 이상적입니다.

- **와일드 오렌지 (Wild Orange)**: 긍정적인 에너지와 창의력을 촉진하며, 기분을 상쾌하게 해 줍니다. 이는 ENFP가 새로운 아이디어를 생성하고 긍정적인 사회적 상호작용을 하는 데 도움을 줍니다.

- **라벤더 (Lavender)**: 깊은 진정 효과로 알려져 있으며, 정신적 스트레스와 감정적 긴장을 완화합니다. 이는 ENFP가 안정된 마음 상태로 창의력을 발휘할 수 있도록 도와줍니다.

- **스피어민트** (Spearmint): 정신을 맑게 하고 집중력을 향상시킵니다. 또한, 창의적인 사고를 촉진하고 활력을 더해주는 효과가 있습니다.

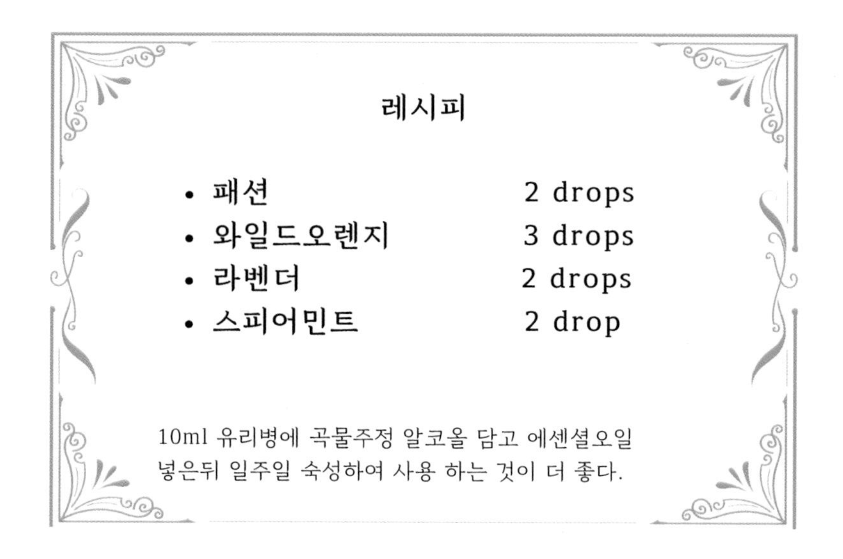

레시피

- **패션** 2 drops
- **와일드오렌지** 3 drops
- **라벤더** 2 drops
- **스피어민트** 2 drop

10ml 유리병에 곡물주정 알코올 담고 에센셜오일 넣은뒤 일주일 숙성하여 사용 하는 것이 더 좋다.

향수 사용 이점

- **창의력 촉진**: 도테라 패션과 와일드 오렌지의 조합은 ENFP의 창의적 사고를 자극합니다. 이는 새로운 프로젝트나 아이디어를 구상할 때 활력을 주며, 기존과 다른 방식으로 문제를 해결할 수 있게 돕습니다.

- **정신적 명료함 제공**: 스피어민트는 집중력을 높이고 정신을 맑게 하여, 복잡한 정보를 처리하거나 긴밀한 작업을 수행할 때 매우 유용합니다. 이 향기는 학습, 작업, 또는 어떠한 정신적 활동에도 최적의 성능을 발휘하도록 도와줍니다.

- **감정적 안정성 증진**: 라벤더는 깊은 이완 효과로 잘 알려져 있어, 감정적 긴장감이나 스트레스를 받을 때 마음을 진정시키고, 감정의 균형을 맞추는 데 큰 도움이 됩니다. 안정된 감정 상태는 일상의 행복감을 증진시키고, 인간 관계에서도 긍정적인 상호작용을 촉진합니다.

9. ISTJ 유형 특성

#로지스틱형 #높은 신뢰성 #강한 책임감 #체계적인 사고

- **신뢰성 높음**: 그들의 단어와 약속을 매우 중요하게 여깁니다. 약속한 일은 반드시 이행하려 노력하며, 이로 인해 다른 사람들로부터 많은 신뢰를 받습니다.

- **체계적 사고**: 계획성 있고 조직적인 접근을 선호합니다. 일이나 프로젝트를 체계적으로 처리하여 효율성을 극대화합니다.

- **실용적 접근**: 현실적이고 실용적인 해결책을 선호합니다. 이론보다는 실제 경험과 증거에 기반한 결정을 내리는 것을 선호합니다.

- **책임감**: 맡은 바 책임을 매우 진지하게 여깁니다. 자신이 맡은 역할과 임무에 대해 깊은 책임감을 느끼며, 이를 성실히 이행하려 노력합니다.
- **변화에 대한 유연성 필요**: 변화와 새로운 상황에 다소 유연하지 않을 수 있습니다. 이러한 점은 때때로 새로운 기회를 탐색하는 데 제약이 될 수 있습니다.

- **대인 관계에서의 신중함**: 감정을 쉽게 드러내지 않으며, 친밀한 관계를 형성하기까지 시간이 필요합니다. 그러나 일단 친밀한 관계를 맺으면, 매우 충실하고 신뢰할 수 있는 동반자가 됩니다.

- **가족과 친구에 대한 깊은 애정**: 가족과 친구에 대해 깊은 애정을 가지고 있으며, 그들을 지지하고 보호하는 데 많은 노력을 기울입니다.

- **호불호가 뚜렷하고 선입견이 강함**: ISTJ는 일단 형성된 견해를 가지고 있으면, 이를 쉽게 바꾸지 않습니다. 이는 그들의 원칙적인 성격과 일관성을 유지하려는 욕구에서 비롯됩니다.

- **낯가림이 심하지만, 친해질수록 허물없음**: 처음에는 내향적이고 조심스러운 태도를 보이지만, 일단 친분이 형성되면 매우 충실하고 신뢰할 수 있는 친구가 됩니다.

- **안정적인 방향을 선호하며, 혼자서도 일을 잘함**: 변화보다는 안정을 추구하며, 독립적으로 일할 수 있는 능력이 뛰어납니다.

- **자신만의 루틴이 깨지면 스트레스를 많이 받음**: 일상의 작은 변화도 큰 스트레스로 받아들일 수 있으며, 자신의 일상과 루틴을 중요시합니다.

- **성실하고 책임감이 강함**: 주어진 일을 무슨 일이 있어도 끝까지 완수하는 강한 의지를 가지고 있습니다.

- **의젓한 성격**: 장남, 장녀 같다는 말을 자주 듣는데, 이는 그들의 책임감 있고 신뢰할 수 있는 성격 때문입니다.

- **예고 없이 갑작스러운 변화를 싫어함**: 계획되지 않은 변화나 불확실성은 그들에게 큰 스트레스 요인입니다.

- **원리, 원칙적이며 약속을 잘 지킴**: ISTJ는 약속과 규칙을 매우 중요하게 여기며, 이를 지키려 노력합니다.
- **본인 애기를 잘 안함**: 자신에 대한 개인적인 정보를 쉽게 공유하지 않으며, 이로 인해 다소 비밀스러운 면모가 있습니다.

ISTJ의 이러한 특성은 그들을 매우 믿을 수 있고 의지할 수 있는 개인으로 만듭니다. 그들의 실용성, 체계적인 접근 방식, 그리고 깊은 책임감은 많은 분야에서 뛰어난 역량을 발휘하게 합니다.

매우 독립적이고, 자기 관리가 잘 되며, 논리적인 사고를 하는 사람입니다. 그들은 자신과 주변 사람들에게 높은 기준을 적용하며, 일과 개인 생활 모두에서 안정과 질서를 중시합니다.

ISTJ 향수 블렌딩

ISTJ는 예측 가능성과 안정성을 선호하며, 변화에 대한 스트레스를 경험할 수 있습니다. 따라서, 안정감을 주고 스트레스를 완화시킬 수 있는 아로마테라피 오일을 선정하는 것이 좋습니다. 향수를 만들기 위한 제안은 다음과 같습니다.

필요한 오일

- **라벤더(Lavender)**: 마음을 진정시키고 스트레스를 완화시키는데 도움을 줍니다. 라벤더는 불안감을 줄이고, 더 나은 수면을 촉진하여 일상의 스트레스 관리에 도움을 줍니다.

- **프랑킨센스(Frankincense)**: 심리적 안정감을 증진시키고 명상적인 상태를 유도하여 정신적인 균형을 찾는 데 도움을 줍니다. 또한 집중력을 향상시킬 수 있습니다.

- **시더우드(Cedarwood)**: 안정감을 주고 감정을 진정시키는 효과가 있어, 자신만의 루틴을 중시하는 ISTJ에게 안정적인 환경을 조성하는 데 도움을 줍니다.

- **와일드 오렌지(Wild Orange)**: 기분을 상쾌하게 하고 긍정적인 에너지를 부여합니다. 변화에 대한 스트레스를 받을 때 긍정적인 감정을 유도하는 데 도움을 줍니다.

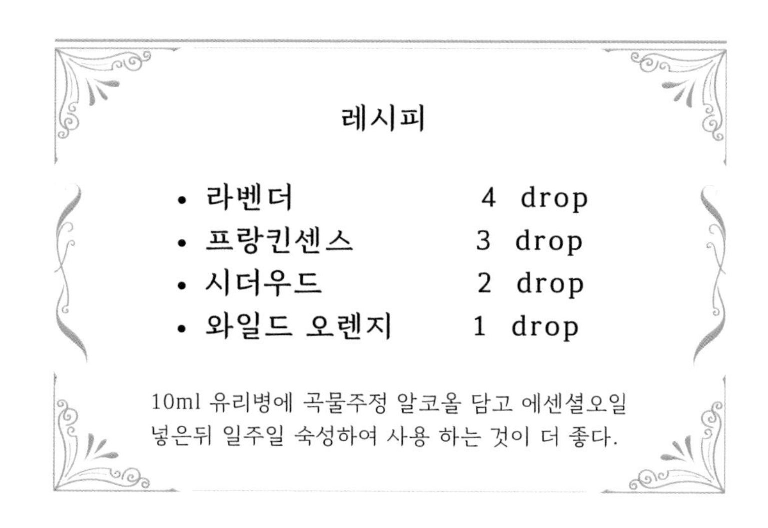

레시피

• 라벤더	4 drop
• 프랑킨센스	3 drop
• 시더우드	2 drop
• 와일드 오렌지	1 drop

10ml 유리병에 곡물주정 알코올 담고 에센셜오일 넣은뒤 일주일 숙성하여 사용 하는 것이 더 좋다.

향수 사용 이점

- **일상적 안정감 부여**: ISTJ가 정해진 일과와 책임을 수행할 때, 라벤더 오일의 부드러운 향기는 마음을 진정시켜줍니다.
  이 안정감은 ISTJ에게 일상의 스트레스와 압박을 관리하고, 편안한 상태에서 임무를 효율적으로 완수할 수 있는 평온을 제공합니다.

- **심리적 집중력 향상**: 중요한 작업이나 복잡한 결정을 내릴 때, 프랑킨센스의 향이 마음을 모으고 집중력을 높여줍니다.
  이 향수는 ISTJ가 세부 사항에 집중하고 철저한 계획을 세우는 데 도움을 주어 효과적인 문제 해결을 가능하게 합니다.

- **정서적 균형 증진**: ISTJ가 감정의 균형을 유지하는 데 도움이 필요할 때, 시더우드의 따뜻한 향은 내면의 안정감을 높여줍니다.
  이 오일은 감정적으로 균형 잡힌 상태를 유지하도록 하여, 감정의 동요 없이 논리적이고 효과적인 의사 결정을 할 수 있도록 돕습니다.

- **에너지 증진**: 사회적 상황이나 새로운 도전에 직면했을 때, 와일드 오렌지의 상쾌하고 활력 넘치는 향은 ISTJ에게 필요한 에너지를 제공합니다.
  이 향수는 ISTJ가 사회적 상황에서 자신감을 갖고 효과적으로 의사소통하는 데 도움을 주며, 동시에 사람들과의 관계에서 긍정적인 태도를 유지하게 합니다.

10. ISFJ 유형 특성

#수호자형 #친절함 #보호 #강한의무감 #안정 #보안중시

- **따뜻함과 배려**: 주변 사람들에 대한 진심 어린 관심과 배려를 가지고 있습니다. 그들은 타인의 필요와 감정에 민감하게 반응합니다.

- **책임감**: 맡은 일에 대해 강한 책임감을 느끼며, 어떠한 상황에서도 자신의 역할을 충실히 수행하려 합니다. 그들은 약속을 지키는 것을 매우 중요하게 여깁니다.

- **조직적이고 체계적인 접근**: 세부 사항에 주의를 기울이며, 일을 조직적이고 체계적으로 처리하는 데 능숙합니다. 그들은 계획을 세우고 이를 따르는 것을 선호합니다.

- **내향적인 성격**: 비록 내향적이지만, ISFJ는 친밀한 관계에서 매우 충실하고 헌신적입니다. 그들은 가까운 사람들과 깊은 유대감을 형성하는 데 시간을 투자합니다.

- **변화에 대한 유연성 부족**: 변화를 주저하며, 안정적이고 익숙한 환경을 선호합니다. 예기치 않은 변화는 그들에게 스트레스를 유발할 수 있습니다.

- **지원과 도움을 제공하는 것을 즐김**: 타인을 돕고 지원하는 것에서 큰 만족감을 느낍니다. 그들은 종종 타인의 문제를 해결하기 위해 앞장서는 역할을 합니다.

- **갈등 회피**: 갈등을 싫어하며, 조화로운 관계를 유지하기 위해 노력합니다. 그들은 대화와 이해를 통해 문제를 해결하려고 시도합니다.

- **실용적이고 사려 깊음**: 현실적이고 실용적인 해결책을 제시하며, 타인의 필요를 세심하게 고려합니다.

- **타인에 대한 깊은 동정심**: 그들은 타인의 감정에 공감하고, 친구와 가족의 행복을 위해 힘쓰는 것에서 큰 만족감을 느낍니다.

- **책임감이 강함**: 자신이 맡은 역할에 대해 진지하게 생각하고, 다른 사람의 기대를 충족시키기 위해 최선을 다합니다.

- **조직과 전통에 충실**: 조직, 전통, 관습에 충실하며 규칙을 잘 따르는 경향이 있습니다.

- **겸손하고 자만하지 않음**: 그들은 겸손하며, 자신의 성공을 자랑하기보다는 낮은 자세를 유지합니다.

- **세부 사항에 대한 뛰어난 파악 능력**: 세부 사항에 대해 뛰어난 인식 능력을 가지고 있으며, 이를 바탕으로 철저하게 계획하고 실행합니다.

- **신뢰를 주는 성격**: 그들은 신뢰를 얻기 위해 많은 노력을 하며, 실제로 가장 신뢰할 수 있는 유형 중 하나로 평가됩니다.

- **차분하고 대인 관계 능력이 뛰어남**: 차분한 성격을 가지고 있으며, 대인 관계에서도 유능합니다.

ISFJ 유형은 그들의 친절함, 책임감, 그리고 타인에 대한 깊은 배려로 인해 사회적으로 매우 중요한 역할을 합니다. 그들은 안정과 조화를 중시하며, 주변 사람들에게 긍정적인 영향을 미칩니다.

겸손함, 책임감, 그리고 타인에 대한 깊은 배려로 인해 사회적으로 매우 중요한 역할을 합니다. 그들은 안정과 조화를 중시하며, 주변 사람들에게 긍정적인 영향을 미치는 데 기여합니다.

ISFJ 향수 블렌딩

ISFJ 유형의 사람들은 사려 깊고, 실용적이며, 타인에 대한 깊은 동정심을 가지고 있습니다. 그들의 책임감과 조직에 대한 충실도를 고려할 때, 안정감과 평온함을 제공하면서 동시에 감정적인 지원을 줄 수 있는 아로마테라피 오일을 선택합니다.

필요한 오일

- **라벤더 (Lavender)**: 진정 효과 최고! ISFJ 유형이 자주 경험할 수 있는 스트레스와 긴장을 완화시켜 줍니다. 또한, 라벤더는 깊은 수면을 촉진하여 ISFJ의 회복력을 높이고 일상의 활기를 되찾는데 도움을 줄 수 있습니다.

- **로만 카모마일 (Roman Chamomile)**: 감정을 안정시키고 마음을 진정시키는데 매우 효과적입니다. ISFJ의 과도한 걱정과 불안을 줄이는 데 기여하며, 조화롭고 평화로운 분위기를 만듭니다.

- **마조람 (Marjoram)**: 심리적 안정과 깊은 이완을 제공하며 ISFJ의 정서적 안정감을 주며 특히 감정적 충돌이나 스트레스를 받는 상황에서 마음의 평화를 유지하는 데 도움을 줍니다. 또한 잠들기 전 긴장을 풀고 좋은 수면을 촉진하는데 유용합니다.

- **베르가못 (Bergamot)**: 상쾌하고 기분을 전환시키는 향으로 인해 기분을 고양시키고 에너지를 부여합니다. 이 오일은 ISFJ가 종종 느낄 수 있는 책임감으로 인한 부담감을 완화시키는데 도움을 줍니다. 또한 우울한 기분을 밝히고 사람들과의 관계 속에서 긍정적인 태도를 갖는데 도움을 줍니다.

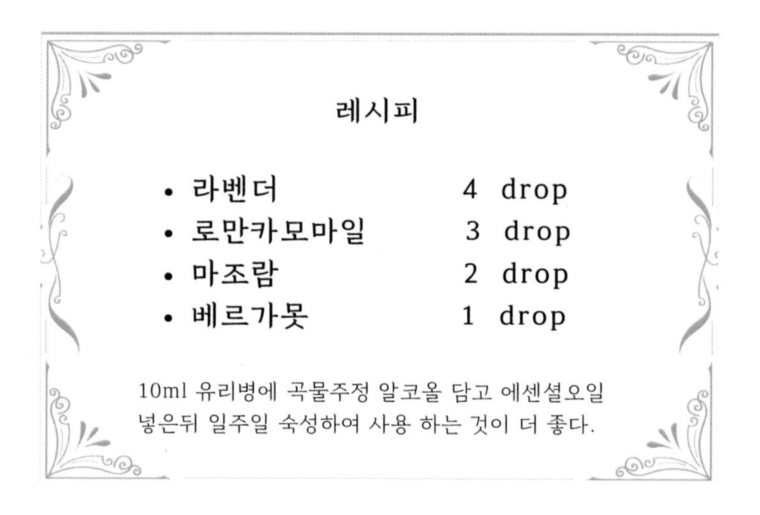

레시피

- 라벤더 4 drop
- 로만카모마일 3 drop
- 마조람 2 drop
- 베르가못 1 drop

10ml 유리병에 곡물주정 알코올 담고 에센셜오일 넣은뒤 일주일 숙성하여 사용 하는 것이 더 좋다.

향수 사용 이점

- **감정적 안정성**: ISFJ 유형에게 라벤더 오일은 일상의 스트레스와 압박에서 오는 감정적 긴장을 완화시켜 줍니다. 이로 인해 ISFJ는 감정적으로 더욱 안정되고, 더욱 친절하고 돌보는 성향을 발휘할 수 있게 되어 주변 사람들과의 관계 개선에 큰 도움이 됩니다.

- **심리적 안정감 강화**: 로만 카모마일의 부드럽고 진정하는 향기는 ISFJ가 자신의 내면의 평화를 유지하도록 돕습니다.
  이는 특히 갈등이나 스트레스가 많은 환경에서 ISFJ의 내면적 균형을 잡고, 긍정적인 사고를 유지하는 데 필수적입니다.

- **잠재력 활성화**: 마조람 오일은 ISFJ에게 편안함을 제공하며, 일과 사이에서 발생할 수 있는 긴장감을 줄여줍니다. 이는 ISFJ가 잠재력을 최대한 발휘하여 효율적이고 성실한 작업 수행을 돕습니다.

- **사회적 자신감 향상**: 베르가못 오일은 ISFJ의 사회적 자신감을 증진시키고, 긍정적이고 활기찬 분위기를 조성하여 대인 관계에서의 자연스러운 매력을 발휘하도록 돕습니다.
  이로 인해 ISFJ는 사회적 상황에서 보다 자신감 있고 활발하게 참여할 수 있습니다.

이 향수는 ISFJ의 일상에 균형과 조화를 더하며, 이들의 자연스러운 돌보는 성향을 지원하여 주변 사람들과 더욱 깊고 의미 있는 관계를 형성하는 데 기여합니다.

11. ESTJ 유형 특성

#집행자형 #조직적 #강한리더십 #높은실행력 #질서중시

- **리더십 능력**: 타고난 리더로, 조직이나 팀을 효율적으로 이끌고, 명확한 목표와 방향을 제시합니다.

- **책임감이 강함**: 그들은 자신과 타인에게 높은 기준을 설정하며, 맡은 바 임무를 성공적으로 완수하기 위해 노력합니다.

- **실용적이고 현실적임**: 현실적인 접근을 선호하며, 실용적이고 구체적인 결과를 중시합니다.

- **조직적임**: 계획과 질서를 중요하게 여기며, 체계적인 방법으로 문제를 해결합니다.

- **의사소통이 명확함**: 직설적인 커뮤니케이션을 선호하며, 자신의 의견과 생각을 분명하게 표현합니다.

- **전통과 규칙을 존중함**: 사회적 규범과 전통을 중요시하며, 이를 유지하고자 합니다.

- **결단력이 있음**: 결정을 내릴 때 단호하며, 신속하게 행동으로 옮깁니다.

- **팀워크를 중시함**: 공동의 목표 달성을 위해 팀원들과 협력하는 것을 중요하게 생각합니다.

- **타고난 리더십 & 현실적 목표 추구**: ESTJ는 조직과 프로젝트를 효과적으로 관리하는 데 뛰어난 능력을 지니고 있습니다. 행정, 의료, 법조 등에서 재능을 발휘합니다.

- **관습적 & 속물적**: 물질적 가치와 현실적 이득을 우선시하는 경향

- **보수적 & 전통적**: 안정과 전통적인 가치를 선호하며, 변화보다 현재의 확실성을 중시함.

- **계획적 & 직설적**: 미래를 위한 체계적인 계획을 세우고, 명확하고 직설적인 의사소통을 선호함.

- **추진력 & 워커홀릭**: 강한 추진력을 가지고 목표를 향해 나아가며, 업무에 몰두하는 경향이 있음.

- **절차의 공정함 & 솔직함**: 공정한 절차와 진실된 소통을 중시하며, 안정적이고 체계적인 환경을 선호함.

- **결과 지향 & 의무감**: 목표 달성과 성과에 집중하며, 맡은 역할과 책임을 충실히 이행함.

- **규범과 체계 & 공과 사 구분**: 사회적 규범을 존중하며, 업무와 개인 생활을 명확히 구분함.

- **권위주의 & 연고주의**: 강력한 리더십과 권위를 중시하며, 연고와 인맥을 중요하게 여김.

- **안정성과 리더십 중시**: 조직과 사회에 긍정적인 영향을 미치는 중요한 역할을 함.

ESTJ 유형은 그들의 강력한 리더십, 조직적인 능력, 그리고 책임감을 바탕으로 주변 사람들과의 관계에서 신뢰를 구축하며, 목표를 달성하기 위해 팀을 이끌어갑니다. 그들은 안정과 질서를 추구하며, 주어진 임무를 효율적으로 수행하는 데 중점을 둡니다.

ESTJ 향수 블렌딩

ESTJ 유형의 사람들은 자신의 강한 리더십과 추진력으로 목표를 향해 나아가는 동안, 때때로 정서적 스트레스와 압박을 경험할 수 있습니다. 이러한 스트레스는 장기적으로 심리적 안정성과 일의 효율성에 영향을 미칠 수 있기에 이 블렌딩은 정서적 안정에 도움을 줄 수 있습니다

필요한 오일

- **베르가못** (Bergamot): 기분을 상쾌하게 하고 스트레스를 완화시킵니다. 자신감을 부여하며 긍정적인 태도를 촉진합니다.

- **프랑킨센스** (Frankincense): 심리적 안정감을 제공하고, 집중력을 향상시킵니다. 명상력을 올리고 마음의 평화를 도모합니다.

- **라벤더** (Lavender): 마음을 진정시키고, 긴장을 완화시킵니다. 잠을 개선하고 정서적 균형을 유지하는 데 도움을 줍니다.

- **페퍼민트** (Peppermint): 정신을 맑게 하고, 에너지 수준을 높입니다. 집중력을 증진시키는 데 도움을 줍니다.

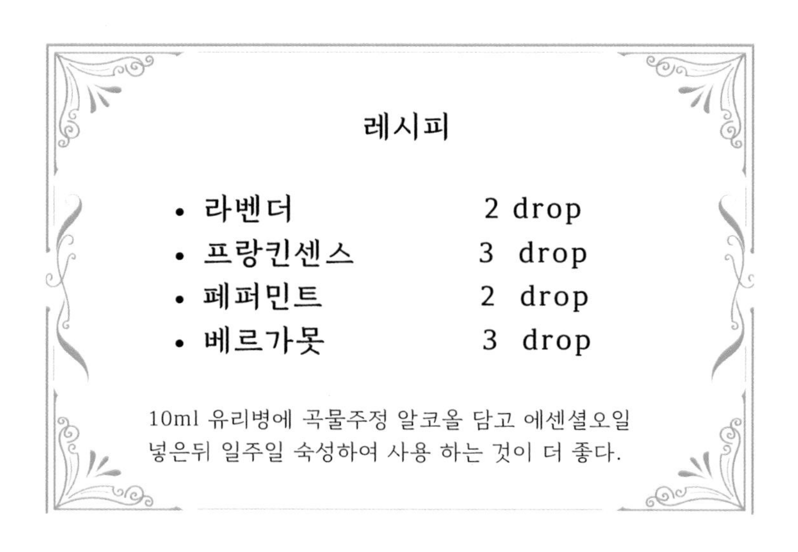

레시피
• 라벤더 2 drop
• 프랑킨센스 3 drop
• 페퍼민트 2 drop
• 베르가못 3 drop
10ml 유리병에 곡물주정 알코올 담고 에센셜오일
넣은뒤 일주일 숙성하여 사용 하는 것이 더 좋다.

향수 사용 이점

- **자신감 증진**: 베르가못 오일은 기분을 상쾌하게 하고 긍정적인 정서적 상태를 촉진합니다. 이는 리더로서 자신감을 높이는 데 중요한 역할을 합니다. 또한, 스트레스와 불안감을 줄이는 데 도움을 줌으로써, 복잡한 상황에서도 침착하게 판단하고 결정을 내리는 데 유리합니다.

- **정신적 명료함** :프랑킨센스는 심리적 안정감과 집중력을 향상시키는 효과가 있습니다. 이는 명상적인 특성을 가지고 있어, 마음의 평화를 찾고 싶은 순간에 특히 유용합니다. 결정을 내려야 할 때, 정신적 명료함을 제공하여 보다 명확한 비전을 가지고 행동할 수 있도록 도와줍니다.

- **스트레스 완화**: 라벤더 오일은 진정 효과로 잘 알려져 있습니다. 긴장을 풀어주고, 마음을 안정시켜 정서적으로 균형 잡힌 상태를 유지하는 데 도움을 줍니다. ESTJ 유형의 사람들이 고도의 책임감과 업무량으로 인해 경험할 수 있는 스트레스를 완화하는 데 기여합니다.

- **정서적 균형**: 페퍼민트는 정신을 맑게 하고, 에너지 수준을 높여줍니다. 이는 업무 중 느낄 수 있는 피로감을 줄이고, 활력을 되찾는 데 도움을 줍니다. 또한, 페퍼민트는 집중력을 증진시켜, 장시간 동안 고도의 집중이 필요한 작업을 수행하는 데 유리하게 작용합니다.

- **리더십 강화**: ESTJ 유형의 사람들이 자신의 잠재력을 최대한 발휘하고, 조직 내에서 긍정적인 영향력을 행사할 수 있도록 지원합니다.

12. ESFJ 유형 특성

#사교형 #관계중시 #조화 추구 #안정 #집단화합

- **사회적 & 친근함**: ESFJ는 사람들과의 어울림을 즐기며, 따뜻하고 친밀한 관계를 중요시합니다.

- **협력적 & 조화 추구**: 팀워크를 중시하고, 조화롭고 안정된 환경 조성에 기여합니다.

- **의존적 & 위계질서**: 익숙한 환경이나 체계에 의존하며, 사회적 및 조직적 위계를 존중합니다.

- **보수적 & 전통적**: 안정과 전통적 가치를 선호하며, 변화보다는 현실을 중시합니다.

- **결과 중심적 & 과거 회상**: 목표 달성과 성과에 집중하며, 과거 경험을 소중히 여깁니다.

- **습관적 공감 & 동정심**: 타인에 대한 깊은 관심과 나눔을 중요시하며, 친절하고 능동적인 구성원으로 활동합니다.

- **체계적 & 규칙과 질서**: 생활과 업무를 체계적으로 조직하고, 규칙을 준수합니다.

- **사회적 평판 중시 & 전통**: 사회적 인식을 중요하게 여기며, 전통적인 가치관을 따릅니다.

- **협동심 & 조직 결속력**: 강한 협동 정신을 바탕으로 조직 내 결속력을 강화합니다.

- **감정적 지원 & 의무감**: 타인의 감정에 공감하고 지원하며, 맡은 역할에 대한 책임감을 가집니다.

- **사회적 소속감 & 팀워크**: 다른 사람들과의 친밀감과 연대감 형성에 힘쓰며, 집단의 일과 목적을 개인의 이익보다 우선시합니다.

ESFJ 유형은 그들의 친근함과 사회성을 통해 주변 사람들과 긴밀한 관계를 유지하며, 조화롭고 안정된 커뮤니티를 구축하는 데 기여합니다. 이들은 감정적인 지원과 의사소통 능력을 바탕으로 다른 이들과의 긍정적인 상호작용을 중시하며, 책임감 있는 태도로 임무를 수행합니다.

그들의 사교적 성향과 타인에 대한 깊은 관심을 통해 주변 사람들과의 긍정적인 관계를 구축합니다. 또한 사회적인 적응력이 뛰어나며, 타인을 위한 배려와 협력적인 태도로 커뮤니티 내에서 중요한 역할을 수행합니다.

ESFJ 향수 블렌딩

ESFJ 유형의 사람들은 사회적 소속감과 조화를 중시하며, 타인과의 긍정적인 관계 구축에 큰 가치를 둡니다. 이러한 특성을 고려할 때, 정서적 안정과 사회적 소통 능력을 강화할 수 있는 아로마테라피 블렌딩 다음과 같습니다.

필요한 오일

- **와일드 오렌지 (Wild Orange)** :상큼하고 활기찬 향을 지니고 있어, 기분을 전환시키고 스트레스를 완화하는 데 탁월하며, ESFJ의 친근하고 활발한 성격을 더욱 돋보이게 하며 사교적인 환경에서 ESFJ가 자신감을 가지고 활동하는 데 도움을 줍니다.

- **마다가스카르 바닐라 (Madagascar Vanilla)** : 따뜻하고 부드러운 향으로, 편안함과 안정감을 제공합니다. ESFJ가 다른 사람들과의 관계에서 따뜻함과 친절함을 더욱 잘 표현할 수 있게 돕고, 감정의 균형을 맞추는 데 유리합니다. 바닐라의 부드러운 향은 ESFJ의 포용력 있는 성격을 강조하고, 다른 사람들과의 긍정적인 상호작용을 촉진합니다.

- **일랑일랑 (Ylang Ylang)** : 감정을 조절하고 스트레스를 줄이는 데 유용한 오일이며 섹시하고 매혹적인 향을 지니고 있어, ESFJ의 자연스러운 매력과 사교성을 강화시키는 데 이상적입니다. 또한, ESFJ가 사랑과 관계에서 더 깊은 연결감을 느끼는 데 도움을 줍니다.

- **샌달우드 (Sandalwood)** : 진정과 명상을 촉진하는 특성을 가진 오일로, 깊은 내면의 평화를 가져다 줍니다. 이 오일은 ESFJ가 자신의 감정과 다른 사람의 감정을 더 깊이 이해하는 데 도움을 주며, 잠재적인 스트레스 상황에서도 침착함을 유지하도록 합니다. 샌달우드의 향은 ESFJ의 책임감 있는 성격을 지원하고, 장기적인 목표에 집중하는 데 유용합니다.

레시피

- **와일드오렌지** 4 drop
- **마다가스카르 바닐라** 3 drop
- **일랑일랑** 2 drop
- **샌달우드** 1 drop

10ml 유리병에 곡물주정 알코올 담고 에센셜오일 넣은뒤 일주일 숙성하여 사용 하는 것이 더 좋다.

향수 사용 이점

- **긍정적인 분위기 조성**: 명랑하고 활기찬 분위기를 조성하여 정신적, 정서적 스트레스를 완화합니다. 이는 ESFJ가 사회적 상황에서 더욱 자신감 있고 개방적으로 행동하는 데 도움을 줍니다.
  또한, 긍정적인 사회적 상호작용을 증진시키며, 타인과의 소통에서 발생할 수 있는 긴장감을 줄여줍니다.

- **따뜻함과 안락함 제공**: 바닐라의 따뜻하고 편안한 향은 안정감을 제공하고, 마음을 진정시킵니다. 이는 ESFJ가 자신과 타인에 대해 더욱 포용적이고 이해심이 깊은 태도를 가질 수 있게 도와줍니다.
  또한, 바닐라의 향은 친밀감, 연결됨을 강화시켜, 깊은 관계 형성에 기여합니다.

- **자존감 강화 및 긍정적 감정 증진**: 감정적 균형을 조성하고, 스트레스와 불안을 감소시키는 데 효과적입니다.
  이는 ESFJ의 사람들이 자신의 감정을 잘 관리하고, 상황에 대처하는 데 도움을 줍니다. 자존감을 강화하고, 긍정적인 감정을 증진시켜, ESFJ가 일상생활과 사회적 관계에서 더 만족감을 느끼도록 합니다.

- **내면의 평화와 집중력 증진**: 이 향수는 깊은 명상과 내면의 평화를 추구하는 데 도움을 줍니다. 이는 ESFJ가 복잡한 감정이나 스트레스 상황에서도 중심을 잡고, 감정적으로 균형 잡힌 상태를 유지하는 데 기여합니다.
  집중력을 향상시켜, ESFJ가 자신의 목표와 업무에 더욱 집중할 수 있도록 도와줍니다.

- **정서적 웰빙을 지원**: 일상생활에서의 긍정적인 감정 유지와 사회적 관계 개선에 도움을 줍니다. 따뜻함과 안락함을 제공하며, 내면의 평화를 찾고, 자신감과 긍정적인 사회적 상호작용을 촉진합니다.

13. ISTP 유형 특성

#도예가형 #실용적 #탐험적 #새로운경험 추구

- **독립적 & 자유를 중시**: 자신만의 공간과 자유를 가치 있게 여기며, 독립적으로 행동하는 것을 선호합니다.
- **실용적 & 분석적**: 문제 해결에 있어 실용적이고 분석적인 접근을 하며, 도구 사용에 뛰어난 능력을 보입니다.
- **적응력 & 유연성**: 새롭고 변화하는 상황에 잘 적응하며, 유연하게 대처합니다.
- **사실주의 & 객관적 원리에 관심**: 사실적 자료 정리와 조직, 인과관계 및 객관적 원리에 깊은 관심을 가집니다.
- **내향 직관 발달 & 상황 인식**: 상황을 빠르게 파악하는 능력이 있으며, 주변 환경에 대한 세심한 주의를 기울입니다.
- **대인 관계에서의 선택적 사교성**: 가까운 사람에게는 친밀하게, 그 외 사람에게는 무관심하거나 냉소적일 수 있습니다.
- **독립성 & 개인주의**: 자신의 독립성을 매우 중시하며, 개인주의적 경향이 강합니다.
- **실용적 활동 선호 & 효율성 추구**: 실용적인 활동에 능하며, 최대한의 효율을 추구합니다.

- **사회적 폐단으로부터 자신 보호**: 사회적 문제로부터 자신을 잘 보호하며, 주변의 부러움을 사기도 합니다.

ISTP 유형은 자신의 독립적이고 유연한 성격을 바탕으로 변화하는 상황 속에서도 효과적으로 문제를 해결하고 목표를 달성하는 능력을 지니고 있습니다. 이들은 실용적이며 논리적인 접근 방식을 선호하며, 이를 통해 복잡한 도전을 해결하는 과정에서 큰 만족을 느낍니다.

ISTP는 새로운 경험과 지식을 탐구하는 것을 즐기며, 이를 통해 끊임없이 성장하고 발전하려는 욕구를 가지고 있습니다.
자신의 독립성과 자유를 깊이 중요하게 여기는 ISTP는 변화하는 환경에 빠르게 적응하는 능력을 가지고 있으며, 이러한 적응력은 그들이 다양한 상황에서 유연하게 대처할 수 있게 합니다. 객관적인 사실과 원리에 깊은 관심을 가지며, 이를 바탕으로 판단과 결정을 내리는 것을 선호합니다.

대인 관계에서 선택적으로 사교적이며, 깊은 관계를 형성하는 것을 선호합니다. 그들은 신뢰할 수 있는 사람들과의 관계를 귀하게 여기며, 이러한 신뢰를 바탕으로 깊고 의미 있는 관계를 구축합니다.
ISTP는 겉으로 보기에는 차분하고 무관심할 수 있지만, 그들이 신뢰하는 사람들에게는 허물없이 다가가며 따뜻한 면모를 보입니다.

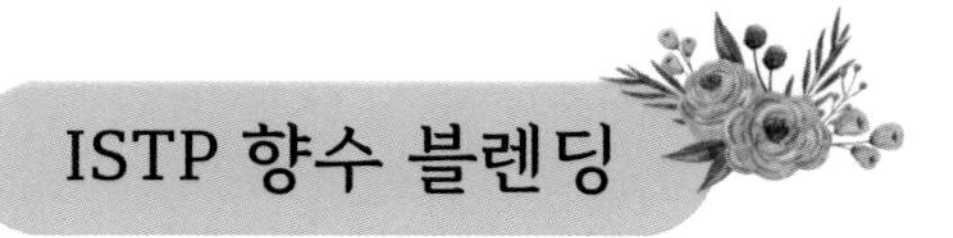

ISTP 향수 블렌딩

ISTP 유형에게 적합한 향수 블렌딩은 그들의 독립적이고 모험을 즐기는 성격을 반영하여, 정서적 및 정신적 안정과 집중력 향상에 도움을 주는 것이 이상적입니다. 이러한 특성을 고려하여 향수 레시피를 제안합니다.

필요한 오일

- **베르가못** (Bergamot): 스트레스를 완화하고 기분을 상쾌하게 하는 효과가 있어 정신적 안정에 도움을 줍니다.

- **프랑킨센스** (Frankincense): 깊은 집중력과 내면의 평화를 촉진하여, 정신적인 명상 상태에 이르게 도와줍니다.

- **밸런스** (Balance): 지상감과 안정감을 제공하며, 자연과의 연결감을 느끼게 합니다.

- **페퍼민트** (Peppermint): 정신을 맑게 하고 집중력을 향상시켜, 문제 해결 능력과 생산성을 증진시킵니다.

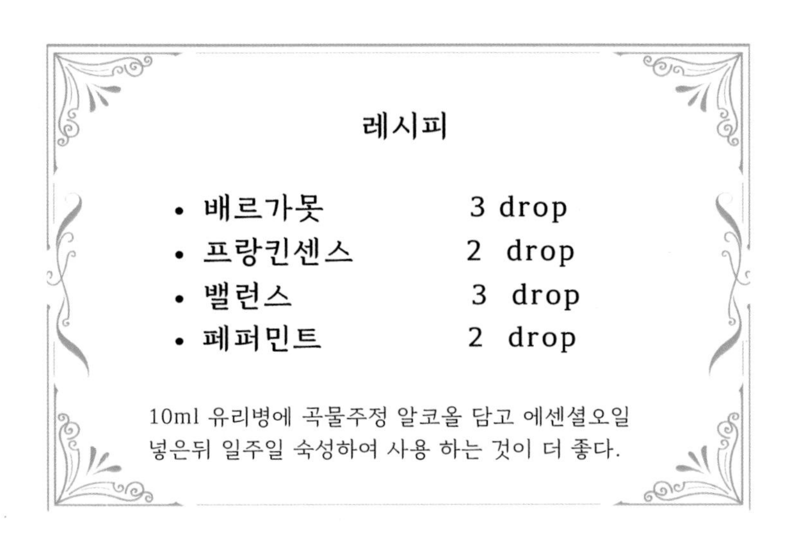

레시피

- 배르가못 3 drop
- 프랑킨센스 2 drop
- 밸런스 3 drop
- 페퍼민트 2 drop

10ml 유리병에 곡물주정 알코올 담고 에센셜오일 넣은뒤 일주일 숙성하여 사용 하는 것이 더 좋다.

향수 사용 이점

- **정서적 안정과 지상감 제공**: Balance 블렌딩 오일의 사용은 ISTP가 일상의 스트레스와 압박감에서 벗어나, 마음의 평화를 찾는 데 도움을 줍니다. 이 오일이 제공하는 '지상감'은 ISTP가 더욱 안정되고 균형 잡힌 정서 상태를 유지하게 하며, 복잡한 생각이나 감정에서 일시적으로 벗어나 자연과의 연결을 느끼도록 합니다. 이러한 경험은 일상에서의 소소한 즐거움을 발견하고, 삶의 질을 향상시키는 데 기여할 수 있습니다.

*지상감이란? '마음이 안정되고 주변 세계에 잘 뿌리박힌 느낌' 마치 나무가 튼튼한 뿌리로 땅에 깊게 박혀 있는 것처럼, 사람도 자기 자신과 주변 환경에 깊이 연결되어 있고, 그 자리에 확실히 자리 잡고 있다고 느낄 때 의 느낌. 우리가 현재 순간에 집중하게 해주고, 일상의 도전이나 스트레스에도 흔들리지 않게 마음의 중심을 잡아 줌. 지상감은 우리가 마음이 차분하고, 삶에 대해 안정감을 느끼며, 자신이 있는 그대로 잘 지내고 있다는 느낌.

- **정신적 명료함과 집중력 향상**: 프랑킨센스와 페퍼민트는 정신적 명료함을 증진시키고, 집중력을 높이는 데 효과적입니다. 프랑킨센스는 내면의 평화를 촉진하며, 페퍼민트는 정신을 맑게 해주어 ISTP가 복잡한 문제를 해결하거나 창의적인 아이디어를 생각하는 데 있어 명확한 사고를 가능하게 합니다. 이는 특히 ISTP가 직면하는 도전적인 상황이나 프로젝트에서 그들의 능력을 최대한 발휘할 수 있게 도와줍니다.

- **스트레스 완화와 긍정적인 기분 전환**: 베르가못은 스트레스를 완화하고 긍정적인 기분 전환에 탁월한 효과를 지닙니다. 이 오일의 상쾌하고 밝은 향은 기분을 고양시키며, 일상에서의 소소한 스트레스나 불안감을 줄여줍니다.
  베르가못의 사용은 ISTP가 더욱 긍정적이고 활기찬 태도를 유지하는 데 도움을 줍니다, 이는 사회적 상호작용이나 취미 활동에서 더욱 적극적이고 만족감을 느끼게 하는 요소가 됩니다.

- **ISTP의 독립적이고 모험적인 성격**: 일상 생활에서 정서적 안정감을 유지하고, 정신적으로 명료하고 집중력 있는 상태를 촉진합니다. 또한, 긍정적인 기분 전환을 통해 삶의 질을 향상시키는 데 기여 합니다.

14. ISFP 유형 특성

#모험가형 #유연함 #매력적 #오픈마인드 #예술적

- **내성적이지만 다정하고 온화**: ISFP는 조용하지만, 사람들과 가까워지면 다정하고 온화한 면모를 보입니다. 상대를 잘 이해하려고 노력하며, 내면의 세계를 쉽게 드러내지 않습니다.

- **예술적 기질과 감각적 경험 추구**: 예술, 음악, 미술 등 다양한 분야에 관심이 많으며, 창의적이고 예술적인 표현을 통해 자신을 드러냅니다.

- **독립적이고 자유로운 영혼**: 자신만의 독립적인 길을 추구하며, 자유를 중요하게 생각합니다. 불필요한 규칙이나 제약을 싫어합니다.

- **유연하고 개방적인 태도**: 새로운 경험과 변화에 열려 있으며, 상황에 따라 유연하게 대응합니다.

- **타인과의 깊은 교류를 선호**: 진솔하고 깊은 인간 관계를 중시하며, 소수의 사람들과 깊은 연결을 추구합니다.

- **결정력과 추진력 개발 필요**: 때로 결정을 내리거나 일을 추진하는 데 있어 우유부단할 수 있으며, 이로 인해 다른 사람들로부터 답답하다는 반응을 얻을 수 있습니다.

ISFP 유형의 사람들은 그들의 깊은 감성과 예술적 감각을 통해 세상을 바라보고, 삶을 경험합니다. 이들은 다양한 감각적인 경험을 통해 자신의 내면을 탐구하고, 창의적인 방식으로 자기 표현의 길을 찾습니다. 예술, 음악, 자연의 아름다움 등에서 영감을 받으며, 이를 통해 자신만의 독특한 삶의 방식을 구축합니다.

ISFP는 사람들과의 교류에서 진정성과 따뜻함을 가장 중요하게 여깁니다. 그들은 사람들과의 관계에서 솔직하고 진실된 마음을 중시하며, 가식이나 겉치레를 배격합니다. 친구나 가족과의 깊고 의미 있는 시간을 소중히 여기며, 이러한 관계에서 큰 만족과 행복을 느낍니다.

이 유형의 사람들은 자신의 독립성을 매우 소중히 여기며, 자신의 길을 스스로 결정하고자 합니다. 그들은 사회적 규범이나 타인의 기대에 얽매이기보다는, 자신이 진정으로 원하는 것이 무엇인지를 탐구하며, 자유롭고 독립적인 삶을 지향합니다. 또한, 삶의 방향을 자신의 내면적 가치와 조화롭게 맞추려는 노력을 기울입니다.

ISFP의 세상은 내면의 감성과 예술적 감각으로 가득 차 있으며, 이를 바탕으로 자신만의 색깔을 세상에 표현합니다. 그들은 감각적인 경험을 통해 삶의 아름다움을 발견하고, 이를 통해 자신과 타인과의 깊은 연결을 추구합니다. 자신의 개성을 존중하고 타인과의 진실된 관계를 소중히 여기며, 자유롭고 독립적인 삶을 향해 나아가는 ISFP는 자신의 길을 가며 삶의 다양한 색채를 만끽합니다.

ISFP 향수 블렌딩

ISFP 유형의 사람들은 그들의 감성적이고 예술적인 성향을 반영하는 향수를 필요로 합니다. 그들의 창의력을 촉진하고, 자유로운 영혼을 위로하며, 진정성 있는 인간 관계를 깊게 하는데 도움이 되는 향수 블렌딩을 제안합니다.

필요한 오일

- **와일드 오렌지 (Wild Orange)**: 상큼하고 활력 넘치는 향으로, 창의력을 자극하고 기분을 밝게 만드는 데 효과적입니다. 이 오일은 ISFP가 새로운 아이디어를 탐색하고 자신의 예술적 감각을 표현하는 데 도움을 줍니다.

- **Serenity 블렌딩 오일**: 라벤더, 바닐라, 카모마일 등의 성분이 조화를 이루어 깊은 이완과 안정을 제공합니다. 이 오일은 ISFP의 감성적이고 자유로운 영혼에게 평화로운 환경을 만들어주어 창작 활동에 집중할 수 있게 해줍니다.

- **일랑일랑 (Ylang Ylang)**: 감각적이고 향기로운 향을 가지고 있어 감정의 깊이를 더하고, 인간 관계에서의 조화와 연결감을 증진시키는 데 도움을 줍니다. ISFP의 감성적인 면모를 강화하고 소통을 원활하게 해줍니다.

- **파촐리 (Patchouli)**: 깊고 풍부한 향을 지닌 오일로, 지상적이고 센슈얼한 느낌을 줍니다. 이 오일은 ISFP의 창조적인 표현을 극대화하며, 자기 자신과의 깊은 연결을 강화하는 데 기여합니다

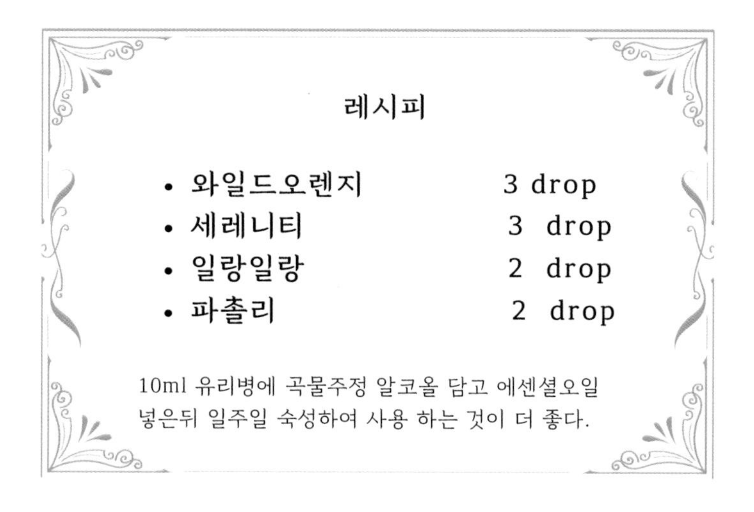

레시피
• 와일드오렌지 3 drop
• 세레니티 3 drop
• 일랑일랑 2 drop
• 파촐리 2 drop
10ml 유리병에 곡물주정 알코올 담고 에센셜오일
넣은뒤 일주일 숙성하여 사용 하는 것이 더 좋다.

향수 사용 이점

- **창의력과 자유로운 영혼을 자극**: 새로운 경험과 모험에 대한 열정을 불러일으킵니다. 상쾌한 향은 ISFP가 일상의 스트레스에서 벗어나 순간의 즐거움을 더 깊게 느끼도록 도와줍니다.

- **깊은 평화와 이완을 제공**: 감성적이고 예민할 수 있는 내면의 폭풍 속에서도 안정감을 찾을 수 있게 해줍니다. 마음의 평화를 유지하도록 돕는 이 향수는 자신의 감정을 더 잘 이해하는 데 도움을 줍니다.

- **감정의 흐름을 증진**: 일랑일랑 은 감성적으로 풍부한 이들에게 긍정적인 감정의 흐름을 증진 시키고, 감정적 균형을 잡는 데 도움을 줍니다. 이 오일은 사랑과 자기 수용의 느낌을 강화하여, ISFP가 자신과 타인과의 관계에서 더 깊은 연결을 경험하도록 합니다.

- **자신감과 창의력 UP!**: 패출리의 향은 자신의 독립적인 길을 걸으며 자신감을 가질 수 있도록 지상감과 안정감을 제공합니다.
  또한, 심신의 균형을 유지하며 자신의 창의력과 예술적 능력을 탐색하는 데 도움을 줍니다, 명상적인 순간에 특히 유용하게 사용될 수 있습니다.

- **소통력 증진**: 사람들과 더 깊이 연결될 수 있게 도와줍니다. ISFP가 자신만의 독특한 방식으로 세상과 소통하며, 가까운 사람들과 더 진한 관계를 맺는 데 큰 역할을 합니다.
  이는 ISFP에게 자신을 더 잘 알고, 사랑하는 사람들과 진정한 마음을 나누는 기회를 제공하며, 이 과정에서 더 큰 만족감과 행복을 느낄 수 있게 합니다.

15. ESTP 유형 특성

#탐험가형 #실용적 #대담함 #사회적 #혁신적

- **활동적이며 현실을 중시**: ESTP는 현실적 문제 해결에 강하며, 즉각적이고 실용적인 해결책을 제시합니다. 그들은 현재에 집중하며, 주어진 상황을 최대한 활용하여 눈앞의 문제를 해결합니다.

- **대담하고 모험을 즐김**: 새로운 경험을 탐험하는 것을 두려워하지 않습니다. 모험적인 성향으로 인해, 종종 리스크를 감수하며, 도전적인 활동에서 큰 즐거움을 찾습니다.

- **사회적 유대감과 개방성**: 사람들과의 교류를 즐기며, 다양한 사회적 상황에서 자신감과 매력을 발산합니다. 그들은 쉽게 친구를 만들며, 개방적이고 유연한 태도로 새로운 사람들과의 관계를 발전시킵니다.

- **직설적이고 솔직한 의사소통**: 자신의 생각과 의견을 직접적으로 표현합니다. 솔직함을 중시하며, 복잡하고 간접적인 의사소통보다는 간결하고 명확한 대화를 선호합니다.

- **혁신적인 사고방식**: 문제를 해결하는 독특하고 혁신적인 방법을 찾아내는 능력이 뛰어납니다. 기존의 틀을 벗어나 새로운 관점에서 사물을 바라보며, 창의적인 해결책을 도출합니다.

- **실질적인 경험의 추구**: ESTP는 이론적인 학습보다는 실질적인 경험을 통해 배우는 것을 선호합니다. 실생활에서의 체험을 통해 지식을 쌓으며, 이는 그들의 빠른 학습 능력과 직접적인 문제 해결 능력의 기반이 됩니다.

- **자유로운 영혼**: 규칙이나 제약을 싫어하며, 자신의 방식대로 삶을 살아가려는 강한 욕구를 가지고 있습니다. 독립적인 사고와 행동으로 자신만의 길을 개척합니다.

ESTP는 그들의 현실적이고 실용적인 접근, 대담한 모험정신, 그리고 사회적 매력으로 인해 다양한 상황에서 유연하게 대처합니다. 그들은 강한 현실감각과 함께 삶의 여러 면에서 혁신과 변화를 추구하며, 이를 통해 자신과 타인의 삶에 긍정적인 영향을 미칩니다. 사람들과의 교류에서 진정성과 솔직함을 가장 중요하게 여기며, 삶의 순간 순간을 즐기는 ESTP는 그들의 길을 따라 자유롭고 독립적인 삶을 추구합니다.

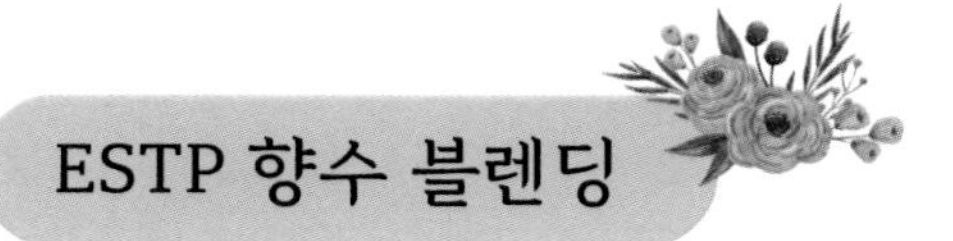

ESTP 향수 블렌딩

ESTP 유형의 사람들은 그들의 활동적인 생활 방식과 도전적인 성격을 지원하는 향수가 필요합니다. 이들의 에너지를 증진시키고, 집중력을 강화하며, 자신감을 높일 수 있는 향수 블렌딩을 제안합니다.

필요한 오일

- **페퍼민트** (Peppermint): 정신을 맑게 하고 집중력을 향상시킵니다. 활력을 부여하며, 일상에서의 피로를 줄여주는 효과가 있습니다.

- **레몬** (Lemon): 기분을 상쾌하게 하고 에너지 수준을 높여줍니다. 긍정적인 느낌과 정서적으로 균형을 잡는 데 도움을 줍니다.

- **로즈마리** (Rosemary): 업무나 학습에 집중해야 할 때 도움이 되며, 정신적 피로를 줄여줍니다.

- **시더우드** (Cedarwood): 스트레스 완화, 자신감을 높이며, 심리적 안정을 돕습니다.

- **모티베이트 (Motivate) 블렌딩 오일**: 자신감을 부여하고 동기를 부여합니다. 도전적인 과제에 맞서 싸울 때 필요한 정신적, 정서적 지원을 제공합니다.

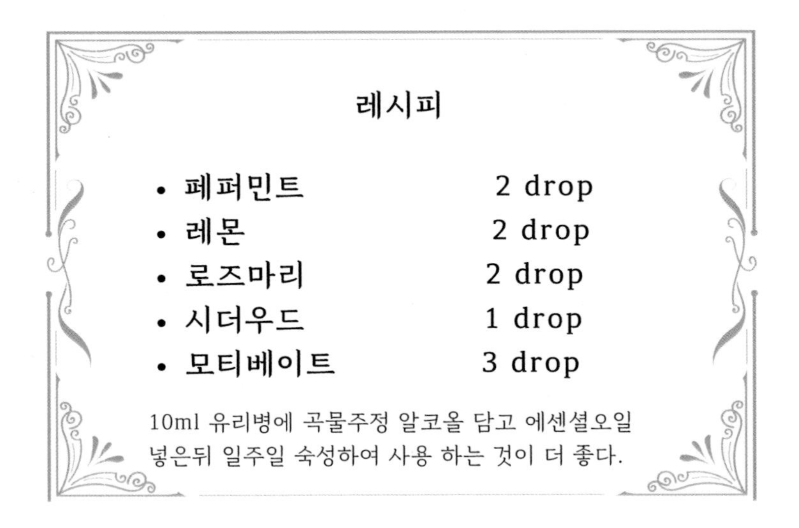

레시피

• 페퍼민트	2 drop
• 레몬	2 drop
• 로즈마리	2 drop
• 시더우드	1 drop
• 모티베이트	3 drop

10ml 유리병에 곡물주정 알코올 담고 에센셜오일 넣은뒤 일주일 숙성하여 사용 하는 것이 더 좋다.

향수 사용 이점

- **상쾌함과 활력 부여**: 페퍼민트와 레몬의 조합은 아침부터 에너지가 넘치게 해줍니다. 매 순간을 생기발랄하게 만들어, 일상의 단조로움을 효과적으로 날려버립니다. ESTP의 모험심을 자극하며, 새로운 도전에 뛰어들고자 하는 열정을 일깨워줍니다.

- **깊은 집중력과 안정감 선사**: 로즈마리와 시더우드의 조화로운 블렌딩은 마음을 집중시키고, 명료한 사고를 가능하게 해줍니다. 복잡한 문제를 해결해야 할 때나 스트레스가 많은 순간에도 마음의 중심을 잡고 균형을 유지하도록 지원합니다.

- **자신감과 동기 부여 강화**: 모티베이트 블렌딩 오일은 목표 달성을 위한 강력한 자신감과 동기를 제공합니다. ESTP가 도전적인 상황에서도 두려움 없이 자신의 능력을 발휘하도록 격려하며, 사회적 상호작용에서도 자신감 넘치는 매력을 발산하게 합니다.

- **에너지 드링크 같은 향수 블렌딩**: 이 블렌딩은 ESTP의 다이내믹한 삶을 완벽하게 지원합니다. 자신의 길을 걸으며 매일을 새롭고 풍부하게 만드는 ESTP에게, 삶의 모든 순간에서 최고의 자신을 발휘할 수 있는 힘을 부여합니다.
  당신의 일상에 활기를 더하고, 모든 순간을 가치 있게 만드세요.

16. ESFP 유형 특성

#슈퍼스타형 #사교적 #낙천적 #활동적 #개성적

- **사교적이며 열정적**: ESFP는 타인과의 교류를 즐기며, 어디서든 중심이 되는 사람입니다. 그들은 자신의 에너지와 열정으로 주변 사람들을 활기차게 만듭니다.

- **낙천적이고 적응력이 강함**: 항상 긍정적인 태도를 유지하며, 변화하는 상황에 빠르게 적응합니다. ESFP는 즐거움을 추구하며, 주변 상황을 최대한 활용하여 즐깁니다.

- **감각적 경험을 중시**: 오감을 통해 세상을 경험하는 것을 선호합니다. 음악, 미술, 미식 등 다양한 분야에서 감각적인 즐거움을 찾습니다.

- **개방적이고 직설적**: 사람들과의 관계에서 솔직하고 직설적인 소통을 중요시합니다. 자신의 감정과 생각을 숨기지 않으며, 타인과의 진정한 관계를 추구합니다.

- **현재를 즐기며 삶의 소소한 행복을 추구**: 순간의 즐거움과 삶의 작은 행복을 소중히 여깁니다. 그들은 현재를 살며, 매 순간을 최대한으로 활용하려 합니다.

- **스포트라이트를 즐김**: 주목받는 것을 즐기며, 자신의 매력과 개성을 발산하는 데 주저하지 않습니다. ESFP는 자연스러운 연예인 기질을 가지고 있습니다.

- **인간관계에서의 따뜻함과 공감**: 타인에 대한 따뜻한 관심과 깊은 공감 능력으로, ESFP는 주변 사람들로부터 사랑받습니다. 그들은 친구와 가족과의 관계를 매우 소중히 여깁니다.

- **자유롭고 도전적인 정신**: 새로운 도전과 경험을 두려워하지 않으며, 자신의 길을 독립적으로 걸어갑니다. 그들은 자유로운 영혼을 가지고 있으며, 자신만의 색깔을 세상에 표현합니다.

ESFP 유형의 사람들은 그들의 사교적이고 열정적인 성향을 통해 삶을 경험합니다. 이들은 다양한 감각적인 경험을 통해 자신의 내면을 탐구하고, 자유롭고 개방적인 태도로 세상과 소통합니다.
삶의 소소한 행복을 찾으며, 타인과의 진정한 연결을 추구하는 ESFP는 그들만의 독특한 방식으로 세상과 상호작용합니다.
그들은 자신의 개성을 존중하며, 주변 사람들과의 따뜻하고 의미 있는 관계에서 큰 만족과 행복을 느낍니다. 자유롭고 도전적인 정신으로 삶을 즐기는 ESFP는 매 순간을 가치 있게 만들며, 세상에 긍정적인 영향을 미칩니다.

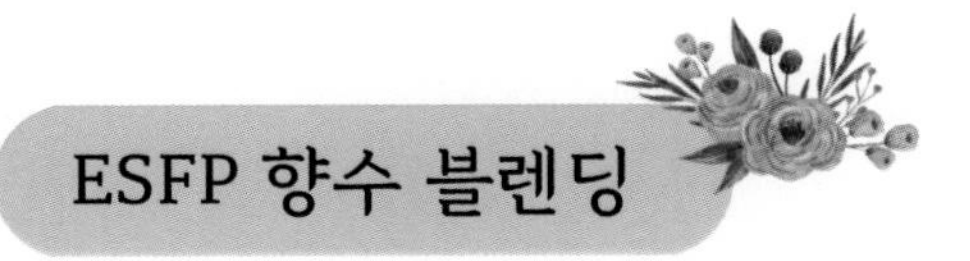

ESFP 향수 블렌딩

ESFP 유형의 사람들은 그들의 활동적이고 낙천적인 성격에도 불구하고, 때때로 스트레스와 집중력 부족, 그리고 감정적인 변화에 직면할 수 있습니다. 이러한 일상적인 문제를 해결하고 긍정적인 에너지를 유지하기 위한 특별한 아로마 테라피를 소개합니다.

필요한 오일

- **시트러스 블리스** (Citrus Bliss): 활력을 주고 기분을 전환시킵니다. 사교적인 ESFP에게 즐거움과 활기를 더합니다.

- **페퍼민트** (Peppermint): 집중력을 높이고 정신을 맑게 합니다. 활동적인 일상에서 명료한 사고를 지원합니다.

- **베르가못** (Bergamot): 긴장을 완화하고 자신감을 증진시킵니다. 스트레스 받는 상황에서도 ESFP의 낙천적 태도를 유지하게 도와줍니다.

- **라벤더** (Lavender): 마음을 진정시키고 감정적 균형을 찾게 도와줍니다. 감정적 변화가 심할 때 안정감을 제공합니다.

레시피

- 시트러스 블리스 3 drops
- 페퍼민트 2 drops
- 베르가못 2 drops
- 라벤더 1 drop

10ml 유리병에 곡물주정 알코올 담고 에센셜오일 넣은뒤 일주일 숙성하여 사용 하는 것이 더 좋다.

향수 사용 이점

- **사회적 피로 감소**: ESFP는 활발한 사회생활을 즐기지만 때로는 그 에너지가 소진될 수 있습니다. 시트러스 블리스와 와일드 오렌지의 상쾌한 향기가 당신의 사회적 배터리를 재충전해, 친구들과의 만남이 다시 즐거워집니다.

- **집중력 부족 해결**: 여러 활동에 참여하다 보면 집중력이 흐트러질 수 있습니다. 피포커스의 맑고 상쾌한 향이 집중력을 극대화시켜, 학습이나 업무에 더 잘 몰입할 수 있게 도와줍니다.

- **스트레스와 긴장을 완화**: 베르가못의 부드럽고 편안한 향은 일상의 스트레스와 긴장을 줄여줍니다.
  중요한 프레젠테이션 전이나 중대한 결정을 내려야 할 때, 이 향수가 마음을 진정시켜주어 더욱 자신감 있게 행동케 해 줍니다.

- **감정적인 롤러코스터를 안정**: ESFP는 때때로 감정의 기복을 경험할 수 있습니다. 마음을 진정시키고 감정적 균형을 찾는 데 도움을 줍니다.
  슬픔이나 실망감을 느낄 때, 라벤더의 향기가 당신을 안아주어 마음의 평화를 되찾게 합니다.

- **일상의 활력소스** : 이 독특한 향수 블렌딩은 ESFP의 다채로운 일상에 실질적인 혜택을 제공하며, 매 순간을 특별하게 만듭니다.
  당신이 삶의 다양한 순간들, 예를 들어 새로운 사람들을 만나는 사교적인 이벤트나 몰입이 필요한 개인 작업 시간에 직면했을 때, 이 블렌딩 향기로 에너지를 얻으세요!

5. 맺음말

언제 완성될까, 하는 생각이 늘 들었던 만큼 길다면 긴 시간이 걸렸다. 그래도 파트너 사장님들께 '~이런 책을 만들고 있어요, 거의 다 작업했어요' 라고 말씀을 드린 후 마무리 할 수 있었다. 모두 파트너 사장님들 덕분 입니다. 감사합니다.
사실 책을 만드는 것에 대해서 아무것도 모르고 하나씩 찾아가면서 고쳐가면서 완성이 되었다. 일단 저질러 봐야 길이 보인다.

이 책은 우리 파트너 사장님들이 에센셜오일을 활용하여 본인과 가족을 치유하고 사랑하는 사람들을 살리는 용도로 쓰여질 것이다.

몸과 마음을 치유하는 도테라,
시간이 지나면서 점점 더 사랑이 커져간다. 할머니가 되어서 내 몸에서 향기로운 자연의 향이 나면 얼마나 좋겠는가,
그렇게 힐러로 살아가겠다, 소중한 사람들과 함께,

Oil.Nuri Doterra
이지온

값 9,500원
03570
9 791141 084516
ISBN 979-11-410-8451-6

초등학교 교사가 들려주는

독도교육의 이론과 실제

강신훈 지음

이론과 실제

☑ 울릉도에 관한 이야기 ☑ 독도에 관한 이야기 ☑ 독도교육에 관한 이야기

BOOKK